Eu, Christiane F.,
a vida apesar de tudo

Christiane V. FELSCHERINOW
e Sonja VUKOVIC

Eu, Christiane F., a vida apesar de tudo

3ª edição

Tradução
Jorge Bastos

Rio de Janeiro | 2024

Título original: *Christiane F., Mein zweites Leben*

Editoração: FA Studio

Texto revisado segundo o novo
Acordo Ortográfico da Língua Portuguesa

2024
Impresso no Brasil
Printed in Brazil

Cip-Brasil. Catalogação na publicação.
Sindicato Nacional dos Editores de Livros, RJ.

F373e
3ª ed.

Felscherinow, Christiane Vera, 1962-
Eu, Christiane F., a vida apesar de tudo / Christiane Vera Felscherinow, Sonja Vukovic; tradução Jorge Bastos. — 3ª ed. — Rio de Janeiro: Bertrand Brasil, 2024.
266 p.; 23 cm.

Tradução de: Moi, Christiane F., la vie malgré tout
Caderno de fotos
ISBN 978-85-286-1917-1

1. Jovens — Uso de drogas — Alemanha — Berlim. 2. Prostituição de adolescentes — Alemanha — Berlim. I. Vukovic, Sonja. II. Título.

14-09833

CDD: 362.293088055
CDU: 362.293088055

EDITORA BERTRAND BRASIL LTDA.
Rua Argentina, 171 — 3º andar — São Cristóvão
20921-380 — Rio de Janeiro — RJ
Tel.: (21) 2585-2000

Atendimento e venda direta ao leitor:
sac@record.com.br

Sumário

Aviso aos leitores

Este livro se baseia em recordações. Trinta e cinco anos depois, algumas permanecem vivas, e outras se diluíram ou apresentam lacunas.

As memórias de Christiane F. envolvem pessoas e encontros. Dentre aquelas, nem todas querem se lembrar do que passou nem do assunto a que se referem estas páginas. Por isso alguns nomes próprios foram modificados, e outros mantidos no anonimato.

"Ela vive nesse mundo como Ariadne, a repudiada, na ilha deserta de Naxos, entregue ao pranto e à oração. Baco, o deus resplandecente da embriaguez, a abandonou. O delírio do amor se foi, e ela só espera agora um único visitante: a Morte. Já pode ouvir sua chegada e abre-lhe os braços, para passar deste mundo à sombra eterna. Mas quem se aproxima com passadas aladas — sem que ela saiba — é Teseu, seu libertador, para levá-la de volta à vida."

Stefan Zweig,
Marceline Desbordes-Valmore.
Sua obra.

O mito Christiane F.

Já é tarde para a menina. O dia foi longo e a noite cai. Molhado de chuva, o asfalto berlinense cintila. Não tem mais tanta gente na rua e ninguém presta atenção na garota, cujo rosto deixa claro que sequer tem 14 anos, apesar dos cabelos vermelho-escuros e saltos altos.

— Me dá 1 marco? — pede a cada pessoa que passa.

Tem a aparência frágil de uma eguinha: seca, com o pescoço comprido e a crina longa. Dá a impressão de ser uma esfolada viva e é rápida nas respostas.

— Punheteiro! — reclama, xingando o sujeito que não deu a mínima ao pedido de dinheiro.

A menina leva uma bofetada e grita:

— Merda!

Logo depois, um Ford antigo passa bem diante dela e para. A garota estufa o lábio inferior com um trejeito de birra. Ela mede 1,75m, tem as pernas compridas e finas. Dentro do carro, um sujeito meio gordo, de uns 45 anos. Sem uma palavra, ele abre a porta do carona e a garota entra. O carro é cinzento, como todos parecem ser naquela noite.

Ela avisa ao homem:

— Eu não faço sexo.

— Por quê? — pergunta ele.

— Tenho um cara, só faço com ele.

— Então pelo menos me chupa.

— Eu vou vomitar.

— Bom, uma punheta, então? Só sobrou isso.

— São 100 paus.

— Ok.

Mais tarde ela disse ao namorado que foi por ele que fez aquilo. Ainda havia tentado estendendo a mão, sem conseguir nada. De um jeito ou de outro, precisava conseguir uma grana. Só por isso entrara no carro do cliente. O rapaz não acreditou numa palavra da história e acusou:

— Você teria feito, mesmo que eu nem existisse. Toda essa merda é porque a gente se pica.

Eles sonharam, então, com uma vida sem ter que correr atrás de heroína, e a garota prometeu nunca mais ir para a cama com um cliente.

Quando gozou no Ford, o homem agarrou a nuca da menina com a mão direita, segurando o sexo com a esquerda. Ele gemeu como se fosse vomitar. Por muito tempo. Depois, silêncio. Ela saltou rápido do carro, que se foi, e andou debaixo da chuva para encontrar o namorado, com a nota de 100 marcos na bolsa de pano.

O rapaz, que tinha a mesma idade que ela, se contorceu de dor na plataforma da estação de metrô do Jardim Zoológico.

— Tenho um pouco aqui, já deve dar — disse ela em voz baixa ao adolescente agachado, segurando a barriga e as pernas.

Ela ajudou-o e os dois saíram dali e foram se esconder no banheiro da estação. Ele se chamava Detlev, era moreno, magrelo e estava encharcado de suor. Ela era Christiane F.

Depois de aplicarem uma picada na dobra do braço, Christiane contou como conseguiu o dinheiro da droga. Detlev ficou chateado e teve uma crise de raiva até a morfina começar a agir, fazendo a dor desaparecer e deixando-o mais relaxado.

Tudo bem, um dia não vai ser mais assim.

Essa cena de filme foi tirada de uma das histórias mais célebres dos últimos quarenta anos. Um sucesso comparável aos de Winnetou, *de Karl May, e* Harry Potter, *de Joanne K. Rowling. Só que essa é uma história real: a história de Christiane F., aliás Christiane Vera Felscherinow.*

Antes do filme, houve o livro, publicado em 1978 na Alemanha com o título: Christiane F. — Wir Kinder vom Bahnhof Zoo *("Christiane F. — Nós, crianças da estação do Zoo", traduzido no Brasil como:* Eu, Christiane F., 13 anos, drogada, prostituída...*). Foram vendidos mais de quatro milhões de exemplares desde então. Traduzido em inúmeras línguas, é ainda um dos livros de não ficção mais lidos no mercado alemão.*

Christiane F. *foi leitura obrigatória em muitas escolas alemãs e, três anos depois da publicação, o filme foi um sucesso, inclusive nos Estados Unidos. Se você digitar "Christiane F." no Twitter ou no Facebook, verá páginas e mais páginas de fãs, sempre atualizadas, fóruns e publicações do mundo inteiro.*

No entanto, Christiane F. é uma personagem trágica — uma anti-heroína para quem a própria empatia foi fatal e que prefere gostar a odiar o pai que a espancava. A partir dessa experiência, conseguiu desenvolver um fascínio devastador por pessoas que a assustam ou que a obrigam a chegar aos limites físicos. É também uma menina a quem a mãe, uma mulher aparentemente submissa e fraca, encorajou a nunca se imaginar vítima das circunstâncias, e sim "durona". E que afogou todos esses sentimentos controversos no álcool, na droga, na permanente busca por alguma dependência.

Christiane tinha apenas 14 anos e estava profundamente mergulhada no círculo vicioso da heroína, da criminalidade, do desregramento emocional e da prostituição. Sabia que existiam raras saídas para essa situação mortalmente perigosa, mas não conseguia se fixar nelas, talvez justamente por esse combate contra a dependência ter se tornado, há muito tempo, sua mais forte motivação existencial. As consequências do vício preenchiam a vida, enquanto as causas produziam apenas uma sensação de vazio.

Christiane Felscherinow foi ao fundo — física, social e moralmente. Mas a acuidade com que a jovem berlinense observou a própria queda e a consciência com que encarou o seu destino sem acusar ninguém além de si mesma explicam a simpatia com que a opinião pública a recebeu.

Escrevendo histórias de sua infância no conjunto habitacional Gropius, no subúrbio, Christiane Felscherinow, a jovem viciada em heroína que se prostituía na Kurfürstenstraße e na estação do Jardim Zoológico (comumente chamada estação do Zoo) teve tanta repercussão quanto, muito antes dela, Goethe, com Os sofrimentos do jovem Werther. *O grande escritor alemão acreditava estar dando um alerta contra a autopiedade e o caos dos sentimentos, mas foi criticado por ter, com a hipersensibilidade do texto, levado rapazes e moças ao suicídio.*

Os sofrimentos da jovem Christiane F. foram celebrados como uma luz lançada sobre uma parte da sociedade alemã que tinha sua existência até então negada. A adolescente protagonista se tornou a comovente encarnação da inquietude e da revolta juvenil. A junkie *teve imitadores e se tornou uma estrela, com o vício autodestrutivo escandalizando a opinião pública. Horst Rieck, redator da revista* Stern, *conheceu Christiane Felscherinow no início de 1978, por causa do processo de um pedófilo no tribunal de Berlim-Moabit. Christiane tinha 15 anos e vivia na casa da avó paterna em Kaltenkirchen, no norte da Alemanha. O acusado pagava jovens prostitutas com heroína e tinha sido um de seus clientes.*

Horst Rieck fez o levantamento do processo, falou com as vítimas e ficou perturbado com o depoimento de Christiane:

— O que ela contava estava quase pronto para ser impresso. Ela parecia ter sido espremida como uma esponja.

Em 2012, Christiane relembrou:

— Logo no primeiro encontro, disse a Horst que tinha vários diários escritos com minhas histórias. Foi o que deu a ele a ideia do livro.

A entrevista inicialmente prevista com a testemunha Christiane Felscherinow se tornou então um trabalho de três meses, no verão de 1978, ao qual Rieck associou Kai Hermann, seu colega na Stern.

Em 1968, os pais de Christiane tinham deixado Nützen, no Schleswig-Holstein para ir morar em Berlim. Ela acabara de completar 6 anos. Na excitação da mudança para as margens do Spree e na esperança da família Felscherinow em aproveitar o bom contexto berlinense para abrir uma agência profissional de casamentos é que se inicia Eu, Christiane F. *Muito rapidamente, no entanto, veio um balde de água fria e o negócio não funcionou como esperado. A família teve novamente que se mudar, deixar o apartamento grande e antigo que acabara de ser pintado, na Paul-Lincke-Ufer, em*

Kreuzberg, e ir para o conjunto residencial Gropius. O pai afogou a frustração no álcool e descarregou a raiva batendo em Christiane e na irmã um ano mais nova. A mãe observava, sem fazer nada.

Desde a primeira página da narrativa de Christiane, o destino dos Felscherinow é interessante, pela maneira como ela via em sua intimidade as estruturas psíquicas dos membros da família e as suas relações mútuas. São raros os escritores profissionais a terem conseguido dar conta, de maneira tão tangível, como fez Christiane através do exemplo de seu pai, da ação devastadora dos fantasmas frustrados do sucesso e do prestígio.

Em seguida, entra em cena outro homem, que seria para a mãe de Christiane a porta de entrada para uma nova vida sem violência. Ela se tornou amante de Klaus — companheiro de bebedeiras do marido e mais jovem que ela —, criando coragem para enfim abandonar o marido agressivo. Para as filhas, porém, o novo companheiro da mãe era um estranho que elas não levavam muito a sério e de quem não gostavam muito, cultivando o sentimento de que ele lhes roubava a presença materna. A irmã caçula de Christiane resolveu agir: "Ela fez o que eu não podia imaginar: voltou para a casa de nosso pai. Abandonou minha mãe e a mim, que fiquei ainda mais só", pode-se ler no livro.

Quando Klaus fez com que a mãe de Christiane se desfizesse dos dois cachorros a que ela era muito apegada, a injustiça pareceu tamanha que a revolta e a fuga se apresentaram como as únicas saídas possíveis: "Eu me sentia como se quisessem me expulsar de casa, mas achava formidável a liberdade que ia descobrindo." Christiane tinha 12 anos e canalizou o afeto em outro rumo: na admiração por Kessi, uma amiga de escola que às vezes se embriagava, tinha seios já desenvolvidos e um namorado. Christiane bem que gostaria de fazer o mesmo sucesso com os meninos e procurou se tornar sua melhor amiga.

Juntas, elas iam à "Casa do Meio", um centro para jovens ligado à Igreja protestante. Os adolescentes do grupo eram mais velhos, fumavam haxixe já pela manhã e matavam aula. E, como Christiane queria se enturmar, começou a fazer as mesmas coisas.

A droga como um produto de uso comum era algo completamente novo na Alemanha Ocidental. O movimento hippie dos anos 1960 e 1970 havia trazido algo bem diferente disso: um protesto comunitário contra a sociedade de consumo e a propagação de certa visão de mundo. Seus simpatizantes tomavam LSD e fumavam maconha coletivamente, com o objetivo de expandir a mente. Christiane e seus amigos, pelo contrário, buscavam a inconsciência. O total vazio interior. Tratava-se apenas de se sentir bem. Ou seria, mesmo assim, uma revolta? Contra o quê?

O reduto a que pertencia Christiane Felscherinow quis interpretar como rebelião a fulgurante notoriedade da jovem junkie-star. *Mas isso não funcionou. No final, restou apenas um gélido pavor associado ao seu nome. Descobriu-se haver adolescentes que pareciam ter na vida uma única motivação, sem finalidade nem perspectiva, uma motivação aparentemente sem sentido: a vertigem dos entorpecentes.*

Logo em seguida, Christiane aderiu também ao ecstasy e a remédios como efedrina, Valium e Mandrax. No fim de semana, ia regularmente à Sound, *uma boate berlinense. Foi onde conheceu Detlev que, com 16 anos, injetava heroína. De início, ela recusou. Mas quando foi a um show do ídolo David Bowie com outro amigo, também viciado, e que entrou em crise, ela o ajudou a conseguir dinheiro para a droga. Seu corpo, ainda jovem, já se acostumara há tempos com os comprimidos engolidos. Tomava-os como se fossem caramelos, sem nem notar, e eles começaram a não surtir mais efeito nem afastar a depressão.*

Então, por que não experimentar heroína?

— Não tinha me dado conta de que nos últimos meses eu havia amadurecido para a heroína [...]. Sem pensar nisso, sem má consciência. Quis experimentar, para voltar a ter um bom barato — contou ela aos jornalistas Hermann e Rieck.

A seringa ainda dava medo, então, ela cheirou o pó marrom:

— Tive que controlar a vontade de vomitar e cuspi de volta boa parte. Mas depois foi tudo muito rápido. Os membros ficaram incrivelmente pesados e, ao mesmo tempo, superleves. Estava abestalhada, e era ótimo. Tudo de ruim tinha ido embora de uma só vez. Nunca havia me sentido melhor.

Christiane tinha 13 anos.

Era fácil imaginar o destino familiar dos Felscherinow como um encadeamento de causas pessoais e sociais que permitiram que, no mínimo, se concebesse a afinidade de Christiane com as drogas. Mas, depois do livro, observou-se que isso não bastava como explicação. Christiane não era apenas uma simples vítima de seu meio. A tristeza da vida no conjunto Gropius dos anos 1970 e a família problemática não levariam obrigatoriamente alguém à toxicomania.

É difícil julgar se Christiane, além da própria inteligência, dispunha de uma capacidade de escolha suficiente para tomar as próprias decisões. A vontade de escapar do núcleo familiar e da solidão abriu a porta para a dependência? Ou seria a sensação de exaltação suscitada pelos entorpecentes e pela nova comunidade? Os debates na Alemanha em torno dessa questão aumentaram.

A partir daquele momento, Christiane passou a querer apenas uma coisa: voltar àquele estado de espírito obtido sob o efeito da heroína. E como o dinheiro levantado nas ruas não era suficiente para financiar, cometiam-se pequenos delitos.

Aos 14 anos, com a ajuda de um junkie, *ela experimentou a seringa. Tanto para Detlev quanto para ela, já completamente dependentes, conseguir heroína se tornou uma necessidade permanente. No caso dele, o meio para arranjar dinheiro era se prostituindo na estação do Zoo.*

— O que Detlev fazia não me incomodava tanto. Não era tão grave se tivesse que tocar nos clientes. Apenas um trabalho sujo, sem o qual não teríamos a droga. Mas não queria que os caras tocassem nele; ele era só meu — explicou Christiane naquela época.

Christiane e Detlev em geral passavam os fins de semana num apartamento caindo aos pedaços, com os amigos Bernd e Axel, como uma família. Os rapazes diariamente preparavam a cama para ela, com lençóis brancos bem limpos. Mas havia mofo por toda parte. O sangue que refluía da seringa era ejetado no carpete e guimbas amassadas ficavam em restos de comida estragada. Foi nesse lugar que Christiane transou pela primeira vez, com Detlev.

Ela já sofria de icterícia. Tivera uma crise numa viagem com a escola, longe de Berlim, na região de Bade-Wurtemberg, e precisou ser hospitalizada. A mãe não foi vê-la. Christiane perdeu muito peso, mas a mãe pensou que isso se devia ao crescimento rápido e à puberdade. A verdade não passou por sua cabeça. A filha frequentemente desmaiava e ela não percebia, pois Christiane quase nunca estava em casa. Dizendo que iria dormir na casa de amigas, ela passava a maior parte do tempo andando pela rua com os companheiros de droga.

No livro, a mãe de Christiane reconheceu que, por muito tempo, não quis ver o que se passava com a filha e que, por causa do trabalho, não deu atenção suficiente, ignorando os avisos do homem com quem vivia e os sinais apresentados:

— Estava convencida de que, com as pessoas da igreja, ela estava em boas mãos.

Cada vez mais, Christiane se sentia culpada, pois Detlev tinha que se vender para pagar o vício. Uma noite em que pedia dinheiro aos passantes para socorrer o namorado em crise de abstinência, foi abordada pelo homem já mencionado, ao volante do Ford antigo. A partir de então, passou a se prostituir.

Axel não demorou a morrer de overdose de heroína. Christiane e Detlev resolveram, com Babsi e Stella, se juntar a um bando de jovens viciados que se prostituía. Mas Babsi logo viraria manchete de jornal: era a pessoa mais jovem a morrer pelas drogas na Alemanha. Detlev e Christiane tinham apenas um ao outro no mundo. Fizeram planos para se desintoxicar, prometendo que cada picada seria a última. Passaram a procurar clientes juntos.

Entre muitos, um certo Stotter-Max, como chamaram os autores, que com frequência procurava o casal adolescente.

— Ele era ajudante de pedreiro, tinha 30 e tantos anos e vinha de Hamburgo. A mãe era prostituta e ele fora absurdamente surrado durante a infância: pela mãe, pelos cafetões e nos centros para onde foi mandado. Isso o destruiu. Tinha tanto medo que nunca aprendeu a falar direito e precisava que batessem nele para se satisfazer sexualmente.

Christiane o chicoteava até ele sangrar e poder gozar. Quando o homem deixava o apartamento, ela vomitava. Com os 150 euros recebidos, comprava drogas para ela e para o namorado.

— Um dia supertranquilo.

Afastando-se de qualquer vínculo com a vida normal, carregada pelo vício e pelo medo de ficar sem droga, Christiane deixou de lado os escrúpulos. Picava-se também no apartamento da mãe, que afinal se deu conta, tarde demais, da vida dupla da filha. Obrigou que ela e Detlev (cujos pais também eram divorciados e o deixaram largado) se trancassem em casa, numa dolorosa desintoxicação a dois.

Mas, afinal, a guerra declarada à dependência física era pouca coisa se comparada à dependência psíquica, frequentemente subestimada.

Quando os dois adolescentes voltaram a encontrar os antigos amigos, tudo retomou seu ritmo muito rapidamente. Ainda mais porque, sem a droga, Christiane e Detlev descobriram não restar qualquer sentimento romântico entre os dois.

— Tinha horror à ideia de voltar à dependência da heroína, mas quando Detlev estava picado, e eu, não, toda a atração desaparecia. Éramos como dois estranhos.

Christiane não demorou a se sentir uma junkie-star. *Tinha atitude e todos gostavam dela. Na euforia de então, passou inclusive a aceitar relações sexuais completas com os clientes.*

Várias vezes foi presa por porte de drogas, e um dia acabou sendo agredida por um funcionário da Sound. *Era uma ameaça clara e quase de rotina, que significava: se for presa mais uma vez, não diga que circula droga na boate nem que proxenetas incentivam adolescentes a se prostituírem.*

— Depois disso, todos ficavam com tanto medo que não diziam mais nada à polícia.

Física e moralmente esgotada, Christiane procurou por conta própria uma casa de saúde para tratamento. A clínica em que queria se internar, e da qual ouvira falar por outros viciados, chamava-se Narconon. Era ligada à rede da Cientologia.

* * *

Tinha a impressão de ser tratada como louca. Fugira várias vezes, mas sempre voltava. Finalmente, o pai decidiu tirá-la à força da Narconon. Sua primeira visita terminou com a polícia sendo chamada, pois os médicos e a própria Christiane se opuseram. No final, a mãe, que era a responsável legal, assinou um papel dando ao pai autoridade para tirar a filha da instituição e levá-la para casa.

Christiane escondeu do pai que voltara a se drogar, mas não de si mesma.

Tentou aplicar em si mesma a última picada, o golpe de misericórdia para acabar com tudo, mas a dose que tinha não foi suficiente. Pouco depois, foi morar com Detlev na casa de um cliente, e os dois tentaram financiar o vício fazendo tráfico.

Em pouco tempo foi presa. Chamada à delegacia, a mãe logo em seguida resolveu que os dois tomariam o primeiro avião para o norte da Alemanha. Christiane foi deixada com a avó, em Kaltenkirchen.

Eu, Christiane F., 13 anos, drogada, prostituída... *terminou com a família Felscherinow no auge do desespero e com a filha mais velha mergulhada no abismo da dependência.*

Como em muitos bons livros, o texto concluía com uma nota de esperança: no último capítulo, Christiane explicou o quanto era difícil se habituar ao dia a dia interiorano de Kaltenkirchen, mas que, após o período de desintoxicação, pouco a pouco conseguia retomar o rumo da sua vida. A distância física separando-a das pessoas e dos lugares que alimentavam seu vício pareceu encaminhá-la a uma solução para deixar a dependência psíquica. Ela, inclusive, terminou a escola com notas boas e fez novos amigos. Afirmou nunca mais querer ouvir falar de heroína.

Mas acrescentou:

— Por um momento, me droguei com Valium.

Além disso, com os novos amigos, bebia vinho tinto e fumava haxixe. Não parecia tão longe de voltar para a sua antiga vida. Se conseguiria ou não escapar, só o tempo iria dizer.

Essa expectativa final e o fato da continuação daquela história poder ser comentada pela mídia ajudaram o sucesso da série de reportagens da revista Stern, *no outono de 1978: como ela estaria agora, teria conseguido? A história de Christiane F. fascinava e, ao mesmo tempo, horrorizava.*

Eram exatamente os adolescentes que se sentiam mais atraídos pela anti-heroína e — como temiam os críticos — era possível que quisessem imitá-la. A revista Stern *gastou 200 mil marcos para se blindar contra esses críticos e publicou um caderno pedagógico com tiragem de sessenta mil exemplares distribuídos gratuitamente, sobretudo nas escolas.*

O livro estava tendo um sucesso incrível, inesperado por todos. Mas, ao mesmo tempo, nenhuma das grandes casas editoriais alemãs quis publicá-lo, com seus responsáveis julgando a prostituição infantil e a dependência das drogas como temas marginais.

— Batemos de porta em porta com o manuscrito debaixo do braço. Um grande editor o recusou dizendo ser invendável. Outro nos aconselhou a fazer do material um estudo de caso, uma obra especializada, com anexos científicos — recordou Kai Hermann.

Essas recusas motivaram Christiane Felscherinow, então com 16 anos, a não querer mais colaborar com Kai Hermann e Horst Rieck:

— Estava hiperdeprimida e achei que os dois só estavam me fazendo perder tempo. Ninguém queria ouvir falar disso e menos ainda ler.

Mas quando foi publicada a série de reportagens da Stern, *tudo mudou. Para começar, uma parte maior da opinião pública tomou* conhecimento da realidade do mundo das drogas. A repercussão midiática foi enorme e a Stern resolveu publicar por conta própria Christiane F., sob a direção de Henri Nannen, com uma tiragem inicial de cinco mil exemplares.

Em pouco tempo, o editor responsável não conseguiu mais acompanhar o ritmo das reimpressões.

— Por semanas a fio houve problemas de entrega. A tiragem tinha sido pequena e era preciso que fosse muito maior para responder à demanda — recorda Christiane hoje em dia.

Naquele mesmo ano, Bernd Eichinger montava um plano radical de reconstrução da Constantin Film, uma produtora que havia falido em 1977. Tinha 29 anos na época, acabava de se formar na Hochschule für Film und Fernsehen (HFF) de Munique e se achava um gênio do cinema que não chegaria aos 40 anos, morrendo jovem e com um destino trágico, como acontece com muitos grandes artistas.

Já nessa época, Eichinger não dava mais importância alguma a festivais de cinema como o de Cannes, por exemplo. Achava os profissionais que participavam do festival uma comunidade de representantes do comércio pequeno-burguês, sem charme nem criatividade, além de ver o cinema alemão particularmente afundado numa crise profunda: faltavam inventividade e liberdade intelectual. Na corrida por financiamento e por produção, só se procurava a aprovação de comissões e de críticos, sem se preocupar com a opinião dos espectadores.

Para Bernd Eichinger, a única saída para a crise estava na criação de uma indústria cinematográfica autárquica, fechada em si mesma e, para tanto, bastante independente. Ou seja, uma empresa que fosse ao mesmo tempo distribuidora e produtora. A Constantin, *fundada em 1950 pelo produtor alemão Waldfried Barthel, era a única instituição que poderia pôr em prática aquele conceito.*

Ludwig Eckes, um ex-fabricante de aguardentes e proprietário da empresa, não tinha muito mais a perder. Vendeu então, em 1978, por 1,5 milhão de marcos, 25 por cento da Neue Constantin *e tornou o jovem diplomado da HFF seu sócio.*

Eichinger queria levar às telonas filmes que polarizassem e provocassem o público, histórias que refletissem a visão de vida que a nova geração tinha e que oferecessem um cinema de qualidade. E eis que surge Christiane F.

Naquela biografia, Eichinger identificou um relato profundamente comovente e, junto com Roland Klick, começou a escrever o roteiro. Para além do script, porém, as concepções dos dois homens divergiam amplamente. Bernd Eichinger procurou inicialmente o roteirista e produtor Herman Weigel, que tinha sido seu colega na HFF, para que fizesse a dramaturgia, mas os três acabaram brigando porque Klick, segundo o que Weigel e Eichinger contaram mais tarde, queria dar os papéis a atores mais velhos, de mais ou menos 25 anos.

Porém, o mais fascinante na história de Christiane era justamente o fato de se tratar de adolescentes. Isso foi o fim não só da colaboração, mas também da amizade entre Eichinger e Klick — abalando igualmente a verba do projeto, pois o contrato com Roland Klick previa que os financiamentos obtidos até então não poderiam se aplicar ao filme. Com isso, o longa-metragem começava sua fase de produção com um déficit de 1 milhão de marcos.

Ulrich Edel, o diretor que substituiu Klick, era também ex-colega de Eichinger. Apesar de os três profissionais formarem uma equipe entrosada desde a época universitária, a produção do filme de Christiane F. não estava indo nada bem. Primeiro houve uma queda de braço com o administrador da produtora, Karl-Heinz Böllinghaus, que previa um retorno de apenas 200 mil marcos, enquanto Eichinger imaginava no mínimo 800 mil. Em seguida, Eckes, o sócio majoritário, quis se retirar. Eckes e Böllinghaus eram homens de outra geração e não acreditavam, assim como as editoras tradicionais, que a história de uma criança prostituída e viciada em heroína pudesse interessar ao grande público. O suíço Bernd Schaefers foi quem comprou a parte de Eckes.

No mais, a realização do filme encontrou problemas puramente práticos, como a questão da distribuição dos papéis, que permaneceu por muito tempo sem resposta. Eichinger estava tão pouco de acordo com Edel quanto anteriormente estivera com Klick — até que o acaso trouxe aos testes Natja Brunckhorst, uma adolescente de Berlim, que tinha aproveitado o intervalo de almoço na escola para tentar conseguir o papel da irmã de Christiane. Quando Eichinger a viu, imediatamente percebeu: ela era Christiane!

Natja Brunckhorst era uma Christiane como a do livro: pernas longas e finas, cabelos castanhos compridos; em tudo se assemelhava muito à verdadeira. Pelo que a atriz contou depois, as biografias também apresentavam coincidências:

— Fui uma criança realmente solitária. De repente, surgiu essa situação em que passei a ter a impressão de valer alguma coisa. A receber elogios. A ter alguém sempre por perto para ajudar. Tinha inclusive um assistente social que me seguia, e eu sempre pedia que fosse buscar chocolate com creme para mim, em plena noite, na estação do Zoo. Adorei ter gente cuidando de mim — explicou Natja à viúva de Eichinger, Katja Eichinger, para a biografia do marido, publicada em 2012 e intitulada BE.

O diretor e produtor morreu em 5 de janeiro de 2011. Tinha 62 anos e sofreu um infarto durante um jantar com a família e amigos, em Los Angeles. Dentre seus maiores sucessos, figuram A história sem fim *(1984),* O nome da rosa *(1986),* A queda *(2004, assinando também o roteiro),* Perfume *(2006, assinando também o roteiro),* O grupo Baader Meinhof *(2008).*

Eu, Christiane F., 13 anos, drogada e prostituída *foi o início dessa grande carreira — que, em 1980, caiu no circuito cinematográfico como um raio, sem que ninguém esperasse.*

Mas voltemos à filmagem: o cameraman *trabalhava com muita precisão, mas lentamente. A filmagem se prolongava, as férias de outono acabaram e os atores adolescentes tiveram que voltar à escola. Com isso, só era possível filmar entre a saída das aulas e o cair da noite, que se dava cada dia mais cedo. Além do mais, para muitos lugares citados no livro não se conseguiu autorização para filmar, como por exemplo as cenas que se passam na estação do Zoo. Foi numa cadeira de rodas e com a câmera disfarçada numa caixa de papelão que o operador fez as tomadas locais.*

Pouco tempo depois, encontraram o primeiro cadáver da filmagem. Quando a equipe foi preparar a estação de S-Bahn Bülowbogen para rodar algumas cenas, encontrou uma pessoa morta por overdose. A polícia retirou o corpo antes da chegada dos atores ao local. Em outro momento, o diretor Uli Edel subiu numa escada de pedreiro, procurando onde fixar a câmera, e encontrou um embrulhinho preso com fita adesiva. Abriu-o e descobriu ser heroína. No mesmo instante, um viciado apareceu na frente dele, agitado e segurando um canivete. Tinha conseguido passar pelos cordões de isolamento, arrancou a droga das mãos de Edel e saiu correndo.

A morte de John Lennon foi a segunda a prejudicar a filmagem. A verdadeira Christiane havia cheirado sua primeira heroína, sem se picar, após um show de David Bowie no Internationales Congress Centrum de Berlim-Charlottenburgo. Foi um momento que mudou sua vida para sempre, como Bernd Eichinger procurava ao máximo manter a autenticidade, resolveu pedir a David Bowie — conhecido por ter problemas com heroína — que participasse da cena. Bowie aceitou, mas estava naquele momento fazendo uma peça na Broadway. Eichinger gastou então seus últimos marcos para comprar uma passagem Berlim-Nova York e pagar uma equipe americana. Em 9 de dezembro, que seria o dia da filmagem, John Lennon foi assassinado em frente ao Dakota Building.

David Bowie não quis mais subir ao palco. Achou que podia se tratar de um serial killer ou que outros o imitassem. Somente depois de Bernd Eichinger contratar uma quantidade de guarda-costas para que vigiassem o local durante a filmagem da cena, Bowie juntou coragem e "salvou" a obra.

Já no ano seguinte, o longa-metragem se tornou um enorme sucesso internacional. Além dos seus cinco milhões de espectadores na Alemanha, estourou a bilheteria na Holanda, Bélgica, Grécia e Espanha. A mesma coisa na França e a obra se tornou o filme alemão mais conhecido da década. Na adaptação inglesa, o filme teve quatro minutos cortados, mas a versão integral existe em DVD nos Estados Unidos, reservada a maiores de 18 anos.

— Estar na Calçada da Fama do Chinese Cinema *foi como uma pré-estreia — recorda Christiane, que tomou um avião para uma estadia de três semanas em Los Angeles com Uli Edel, para a divulgação do filme prestes a ser lançado.*

A menina de olheiras escuras e muito arredia se tornara uma jovem bonita e sensual: ainda bem esguia, mas ao mesmo tempo forte, segura de si. Andava com passadas firmes, postura ereta, um leve ar de ironia, maneiras joviais. Os olhos grandes e verdes eram realçados por rímel escuro, e as unhas e os lábios carnudos brilhavam às vezes em tons vermelhos, outras vezes em tons amarronzados. E Christiane falava como vivia: freneticamente, com certo jeito camicase.

Tinha raspado parte dos cabelos compridos e mantinha o restante eriçado com gel, no alto da cabeça. Juntando-se a isso as roupas escuras em estilo punk, ela parecia a irmã caçula de Nina Hagen. Era uma mulher misteriosa e extremamente atraente.

A busca de Christiane F. por uma identidade parecia ter encontrado uma solução miraculosa. A moça de rosto bonito e história horrível, que tinha sempre escolhido os caminhos mais idiotas, mas filosofando com muita acuidade sobre a condição humana e as ciladas da vida, se tornara o símbolo da inquietude e da revolta juvenil.

No canal franco-alemão de televisão Arte, *ela debateu com o diretor de teatro Frank Castorf sobre as virtudes femininas e esteve sentada ao lado de Jean-Paul Belmondo e Peter Maffay em um programa de auditório. Sua réplica no cinema, Natja Brunckhorst, foi manchete da* Spiegel *sob o título: "O mito Christiane F."*

Os canais Spiegel TV *e* Stern TV *a convidavam todo ano para uma entrevista, a fim de saber qual era a sua opinião sobre a juventude. Por exemplo, por que grupos terroristas como o Fração do Exército Vermelho (RAF) se revoltavam contra o sistema? Era possível, na República Federal, uma ascensão social como a sua? Havia esperança para os filhos e filhas da Alemanha e, é claro, para a* junkie *mais famosa do país?*

Esperança havia, mas será que se realizaria?

Em todo caso, Christiane não aceitava se incluir no mundo perfeito de sua avó, o "Stoltenberg-Country" do norte da Alemanha, como sugeria o final do livro e do filme.

Após seus quinze minutos de fama, ela tentou a sorte como cantora. Entre 1981 e 1983 se apresentou ao lado de Alexander Hacke, guitarrista dos Einstürzende Neubauten, formando uma dupla chamada Juventude Sentimental. Em 1982, gravou alguns discos solo em estilo nouvelle vague alemã, atuou em alguns filmes independentes — Neonstadt *(1981) e* Decoder *(1983) — e todo ano passava alguns meses como* au pair *na Suíça.*

Mas aonde quer que fosse ou o que quer que fizesse, a vida pregressa a perseguia.

Ela não conseguia sair das drogas. Regularmente noticiavam-se suas recaídas. Mas nunca se soube em quais proporções, pois não havia provas. Os "entendidos" diziam que a fama repentina e o dinheiro gerado pelo sucesso do livro tinham agravado a dependência. Uns teorizavam afirmando que quem consegue atenção e carinho graças à doença, se agarra a ela. Outros viam nas drogas o meio para Christiane administrar a pressão da mídia — aliás, com o dinheiro que ganhava, tornara-se muito fácil consegui-las.

Algum daqueles boatos seria verdadeiro? A imprensa incessantemente fazia novas verificações para descobrir a quantidade de drogas que ela realmente tomava e por onde andava naquele momento. Câmeras seguiram seus passos pelas ilhas gregas, onde viveu de 1987 a 1993. Jornalistas foram procurá-la quando seu filho nasceu. Günther Jauch convidou-a para o seu divã no programa da Stern TV, *e Sandra Maischberger entrevistou-a em "Late Night Talk".*

A partir de 2008, Christiane F. deixou de atender os jornalistas, apesar das frequentes tentativas, por ocasião de algum novo processo sobre drogas ou quando Bernd Eichinger morreu. Mas ela não confiava mais na imprensa — desde o dia em que o serviço de proteção à infância tirou-lhe a guarda do filho e a crônica social explorou sua dor na mídia.

O jornal Berliner Zeitung *convenceu a mãe de Christiane a dar uma série de entrevistas, e outros órgãos da imprensa pagaram um de seus amigos para obter mais informações. Christiane rompeu com os três: os jornalistas, o tal amigo e a mãe.*

S.V.

1

Vida de merda

Fibrose. Com 51 anos, estou à beira da cirrose. Desde 1989 meu fígado está permanentemente inflamado. Tenho hepatite C, genótipo 1A, a mais agressiva da Europa. Não tenho a menor ideia de onde nem quando contraí. Transpiro o tempo todo, é insuportável, estou sempre encharcada, mesmo a 10 graus negativos. E no verão não posso usar blusas de mangas curtas por causa das infames feridas vermelhas que tenho nos braços. Chamam isso de angioma estelar.

Há também o gosto ruim na boca e a prisão de ventre; às vezes, não consigo ir ao banheiro por vários dias. Ou passo a noite vomitando, por alguma coisa no meu metabolismo — estômago, bexiga ou intestinos — ter se inflamado, e não tolero mais os antibióticos. Além disso, há um ou dois anos minha barriga dilata, porque meu fígado incha e retenho líquidos. Uma vida de merda.

Preciso me cuidar. Para tratar da hepatite C, os médicos injetam interferons, que lutam contra a infecção. Mas, para que eu possa ser tratada com esse produto, preciso colher uma amostra do fígado e saber até que ponto o órgão está afetado. Uma biópsia.

São dores terríveis que não desejo nem aos piores inimigos. Não consigo me decidir. E não tenho quem me incentive.

O tratamento a seguir não é também dos mais agradáveis. São injeções por várias semanas, ou meses, resultando em perda dos cabelos, enjoos constantes e ameaça de depressão. Efeitos secundários? Não, obrigada. São duros demais para mim. Vi isso com uma parente próxima, de quem não vou dizer o nome. Também pegou o vírus da hepatite C e, assim como eu, sem saber como. Mas aceitou seguir uma terapia com interferons — e rapidamente se arrependeu. Dependendo da quantidade aplicada, são coceiras pelo corpo todo, com eczema em todo lugar e não se consegue fazer nada sem a pomada à base de cortisona. Perdem-se peso, forças e energia. Nem os antidepressivos bastam, nos casos mais graves. Vêm ideias de suicídio e crises de pânico. Foi preciso mais de um ano para que a tal parente se recuperasse, saísse de casa e pudesse ter uma vida mais ou menos normal. Mas, dentro de um ano, posso estar morta; então, para quê?

Tenho poucas chances de cura, eu sei. E qual "cura"? Na melhor das hipóteses, vou vegetar sem um centavo, sem poder pagar o tratamento e sem ter uma vida digna, porque não tenho aposentadoria nem nada parecido. Vou receber uma espécie de pensão, da qual a maior parte vai servir para pagar o tratamento com interferons. Não quero um futuro desses! Realmente não. Acho melhor morrer rápido do que lentamente e na miséria. Só espero que me deem remédios fortes o bastante para eu não sofrer demais.

Como se já não bastasse o fato de ter que ir sete vezes por semana ao médico da Hermannplatz para engolir minha dose de metadona. Antes, os médicos entregavam a medicação e o paciente a levava para casa, mas isso acabou porque são produtos que se traficam, como as drogas ilícitas. Há farmacêuticos, enfermeiras e médicos que ganham um dinheiro extra com esse comércio. Uma paramédica do consultório em que estou sendo tratada foi recentemente flagrada e presa na estação de Kottbusser Tor. Ela fazia uma grana a mais por mês. No mercado paralelo o miligrama custa um euro. Mas, nas manhãs em que não consigo me levantar da cama, nem acho tão caro.

Tem dias em que me sinto tão cansada por causa da fibrose que quase não fico consciente, pois muitas vezes passo a noite vomitando e mal posso fechar o olho. Sou obrigada então a não sair do apartamento. Tremo da cabeça aos pés, completamente desidratada, com dificuldades até para me levantar e ir ao banheiro. Chegar ao consultório nesse estado? Impossível. Nesses dias, como gostaria de nunca ter experimentado drogas, nunca ter tido a sensação maravilhosa de uma picada — pois é o preço que se paga.

Perto disso, a crise de abstinência é brincadeira de criança. A gente acaba se habituando, pois nos habituamos a tudo. Se aguentarmos uns dias, vamos estar em forma de novo. Já o meu fígado, nunca mais vai estar bem. Não tem como. Precisaria de um novo, mas qual médico vai colocar uma ex-drogada, em tratamento de metadona, na lista para transplantes? Quando as dores não me obrigam, tento não pensar nisso. Procuro continuar como antes.

Desde que caí da cama, há alguns meses, durmo num colchão colocado no piso, que fica de frente para a televisão. Por trás dele passo à varanda. Mesmo durante o inverno, a porta geralmente permanece aberta para que Leon, meu chow-chow, possa sair.

E também porque fumo muito dentro de casa. Preciso de ar livre para respirar e transpirar menos. Raramente sinto frio, mas quando isso acontece não ligo o aquecimento, tendo em vista os preços de hoje. Em vez disso, me meto embaixo de um monte de cobertores e preparo algo quente para tomar. Sei que exagero na avareza com relação às despesas que podem ser evitadas. No inverno, desligo a geladeira e coloco na varanda algumas coisas que precisam ser mantidas no frio. Fui criada num meio de extrema pobreza e não consigo jogar dinheiro pela janela.

Não tenho armário, só alguns poucos móveis. Mas isso não tem a ver com o dinheiro, e sim com o fato de ter me mudado muito, provavelmente doze ou quinze vezes durante a vida. Montar, desmontar, carregar, descarregar; não quero mais me chatear com isso, de forma que, progressivamente, fui eliminando coisas. Pode ser que eu me mude também daqui de Teltow. Muita gente sabe onde moro e a cada dois meses tenho jornalistas batendo aqui sem avisar ou apenas gente que não quero ver em casa. Aliás, ficaria sem graça, pois frequentemente o apartamento está uma zona, com coisas jogadas por todo lugar: faltam gavetas, armário de cozinha e até tupperwares. Por outro lado, tenho muitos tapetes para não arranhar o piso. E é importante que tudo esteja limpo. Faço faxinas regulares e até desinfeto. Tendo um cachorro, me sinto obrigada. Concordo que, de fato, é uma bagunça, mas sem imundície.

Uma mesinha de cabeceira, uma luminária de pé, óculos de leitura comprados na drogaria, cigarros, cinzeiros, um pouco de chá — quase tudo que possuo se encontra ao alcance da mão em volta da cama para que eu possa pegar se estiver muito mal. O banheiro não fica longe, a apenas 4 metros, sem corredor.

À esquerda do colchão, tenho uma cozinha americana, com duas cadeiras e uma mesa. E muitos, muitos livros.

Uma estante na parede, de dois metros quadrados, está abarrotada de coisas sobre animais, livros de cozinha e romances tipo *O diabo veste Prada*, de Lauren Weisberger, *A sombra do vento*, de Carlos Ruiz Zafón, e *Die Apothekerin* [A farmácia], de Ingrid Noll. O que mais gosto são as narrativas de vidas, romanescas ou bem reais, como *Dschungelkind* [Criança da selva, Sabine Kuegler], *Zonas úmidas* [Charlotte Roche], *Die Weisse Massai* [em Portugal, *Casei com um massai*, Corine Hofmann].

Na verdade, leio livros como o meu, que, de uma maneira ou de outra, têm a ver comigo. Só quando a gente se reconhece na obra é que tira algum proveito pessoal e a leitura dá mais prazer. *Deus veio ao Afeganistão e chorou*, de Siba Shakib, por exemplo. Derramei todas as lágrimas que tinha lendo esse livro. Mas também me deu esperança. É uma história de verdade, e, se essa mulher foi tão forte, também posso ser. Trata-se do destino de uma jovem afegã, Shirin-Gol. O nome significa "doce flor", mas sua vida é dura e assustadora. A família vive na miséria, e o irmão, como muitos no Hindustão, é viciado em jogo. Sem conseguir pagar o que devia a um amigo, deu a irmã como compensação. O novo marido não chegava a ser antipático com Shirin-Gol, mas o pior aconteceu: após um acidente de trabalho ele se tornou opiômano e Shirin precisou se prostituir para sustentar a família. Guerra, fome, pobreza e opressão era tudo o que ela conhecia. Estava sempre fugindo — dos soldados russos, dos paquistaneses, dos talibãs. Foi também estuprada, o que era comum com muitas mulheres no Afeganistão. É difícil imaginar a situação: a ONU chegou ao país, em princípio para libertar o povo da ditadura e do terrorismo, mas seus soldados estupraram as mulheres. É atroz. Mesmo assim, Shirin não perdeu a esperança de ter uma vida melhor e cuidou dos filhos de maneira tocante — inclusive dos que nasceram da prostituição e do estupro.

Posso realmente entrar de cabeça em histórias assim. É como uma fuga, meus problemas passam a parecer menos graves. É dureza para mim buscar ajuda externa, pelo fato de eu achar difícil ter confiança nas pessoas. Todo tipo de relação, inclusive com o médico, significa uma responsabilidade. É preciso ir regularmente, respeitar o que ele receita... Ou vai estar perdendo o seu tempo e o dele. Muitas vezes nem confio em mim mesma, quando se trata de responder às expectativas alheias. Adoraria ser pontual, confiável. Mas me conheço e sei que essas coisas não funcionam comigo. Não funcionam mais, infelizmente.

Os livros são a minha automedicação. Na imaginação, sou livre, sem limites e sem deveres, posso fazer e deixar que façam o que bem entender, sem decepcionar ninguém. É bom para mim. Acredito que o corpo se sente bem quando a alma está em boa saúde e vice-versa. A leitura me ajuda. Mas essa sensação agradável desaparece assim que a história acaba. E toda a minha vidinha miserável volta a estar presente.

Para mim, a qualidade de vida é a soma da maneira como me sinto, da influência das pessoas ao redor de mim e da situação da minha família. É o que constitui o indivíduo. Mas não tenho mais nada disso. Tudo se foi. Não tenho mais amigos e não me livro da sombra de "Christiane F."

Nunca sei se as pessoas estão sendo sérias comigo; muito rapidamente me tratam sem consideração e de maneira horrível, porque todo mundo acha que eu gosto de aparecer com essa coisa de Christiane F. E quando começo a chorar de verdade, debocham, dizendo: "Ela agora chora e ainda quer que a gente acredite?" São momentos em que olho a janela e me pergunto: "Não seria melhor pular?"

Talvez o álcool seja uma maneira lenta de se matar. Na verdade, não tenho dúvida. É claro que a bebida, sobretudo com a metadona, não dá certo. A combinação provoca problemas respiratórios e um dia vai estourar meu fígado ou meus pulmões. Mas sem álcool ou erva, a vida aqui na terra não seria mais suportável. Nem um pouco, desde que o meu filho não está mais aqui.

2

O sonho americano

Eu realmente nunca consegui me habituar com a vida no campo. A primeira vez, aos 15 anos, quando fui mandada por algumas semanas para a casa da minha tia e da minha avó, era compreensível, já que os problemas com a polícia, o tratamento de desintoxicação, o fato de perder os sentidos e a estadia em clínica não conseguiram me afastar da heroína. Nesse sentido, a tentativa da minha mãe de me fazer mudar de ambiente foi boa. Mas minha avó e eu realmente não combinávamos. Ela andava por todo lugar de *dirndl*, a roupa tradicional bávara, apesar de morar no Schleswig-Holstein. Era fã da Baviera, adorava Franz Josef Strauß* e era xenofobicamente conservadora. Quando Hitler chegou ao poder, minha avó tinha apenas 11 anos. Era uma boa idade para imitar a forma de agir e pensar das outras pessoas. E, pelo resto da vida, ela nunca perdeu essa mentalidade.

Meu avô era um homem forte. Tinha sido dono de uma gráfica e de um jornal no leste da Alemanha, até ser expropriado depois

---

* Carismático político alemão, morto em 1988, chamado "o touro da Baviera". (N.T.)

da guerra, na época da RDA. Minha avó o abandonou por achá-lo frouxo. Um dia ele havia falado, na frente das visitas, do tempo em que tinha sido prisioneiro de guerra e disse que os poloneses, na verdade, eram boas pessoas. Aparentemente foi o que deu fim à relação. Minha avó detestava também tudo que eu pensava, fazia e a maneira como me vestia.

No início, eu andava de saltos altos e calça jeans muito justa, até não aguentar mais ouvir que parecia uma puta. Para minha avó, eu era um escândalo ambulante: parava de comer por não ter mais fome, mesmo que o prato não estivesse vazio; preferia fazer os deveres de casa à noite porque não tinha sossego à tarde; fumava e bebia. Ah, e também implicava com a minha maneira de falar! Eu precisava tomar cuidado com cada palavra: bastava dizer "merda" e minha avó explodia.

Tudo isso tornava difícil a vida com ela. Minha avó era muito severa e valorizava as virtudes prussianas. Tinha a impressão de ser visita, pois nunca me senti sua neta, nunca me senti à vontade.

Meu tio, tia e primos também viviam na mesma casa. Os meninos eram legais, mas minha tia era bem parecida com minha avó, tentando o tempo todo dizer o que eu devia ou não fazer. À noite, eu era obrigada a estar em casa antes das nove e meia, e isso quando tinha o direito de sair. Não suportava aquelas restrições, que me irritavam profundamente. Todo mundo achava que podia mandar em mim, querendo me fazer andar na linha, com regras e proibições.

Isso, é claro, não ajudou para que eu me sentisse em família — nem tive vontade de me integrar à vida no campo. Não dava certo. Kaltenkirchen era um tédio só. Bem que eu gostaria de me focar em alguma coisa para esquecer que estava naquele buraco.

Tudo era bem verde. Disso eu gostava; é bom estar na natureza. A praça da feira era bonita, com plantas de todas as cores, como um parque. Mas qualquer adolescente rapidamente via o que havia para ver e em pouco tempo não se tinha mais para onde ir. As crianças gostavam, pois, graças aos poucos carros, podiam brincar na rua, mas para um adolescente sobrava apenas uma ida à estação ou à fonte. Ou então umas boates horríveis, com música cafona.

Imagino que eu era meio exótica por lá. Qualquer tipo de cara me paquerava o tempo todo. Estavam sempre assobiando ou dizendo alguma gracinha idiota quando eu passava. Eu achava os caras muito mais grosseiros e agressivos do que em Berlim. E as mulheres, muito mais submissas; ficavam se agarrando mesmo com sujeitos de que não gostavam — com medo de que, de outra forma, ficassem sem nada. No interior, os papéis ainda são muito definidos e isso me incomodava tanto que eu não deixava mais que garoto nenhum se aproximasse. Sem carinho nem sexo, nada do que eu queria ter.

Depois de passar praticamente três anos em Berlim sem ir à aula, passei a me concentrar na escola. Queria fazer alguma coisa da vida, para poder ir embora de Kaltenkirchen. Era meu principal objetivo. No entanto, rapidamente fui expulsa do colégio — não por não conseguir acompanhar a turma ou por mau comportamento, mas porque, três semanas depois do início das aulas, o diretor recebeu meu dossiê de Berlim, em que os dias de ausência, o vício e a minha ficha policial estavam minuciosamente descritos. Ele disse que não podia me manter na escola, que eu não correspondia às exigências.

Fui mandada para um colégio de quinta categoria. No campo, quem não cursa um ensino tradicional não vai a lugar nenhum.

É claro que isso me desviou de novo da trilha e tirou toda a minha motivação. Voltei a perambular à toa, com alguns amigos e muito álcool. A gente se encontrava à noite e bebia litros de vinho ou cuba-libre. Duas ou três vezes tomei Valium, mas nada de heroína. Digamos que eu ainda estava sob condicional.

Tinha sido condenada pelo tribunal de primeira instância de Neumünster a seis meses de prisão num reformatório, com sursis, por repetidas violações à legislação dos narcóticos. É evidente que tive um agente da condicional na minha cola. Mas, na verdade, ele pouco incomodava e quando vinha eu o deixava com minha tia, que o enchia de café e docinhos — ele adorava sobretudo as tortas "picada de abelha". Ele não tinha o que reclamar de mim: eu vivia em família e tudo era bem normal na casa, com galhadas de alce penduradas nas paredes, pois meu avô paterno tinha sido administrador de uma propriedade rural, depois da expropriação.

Graças a um menino com quem me dava bem e que ia à escola, mantive a vontade de estudar — ele foi uma espécie de professor particular para mim — e acabei terminando a escola com ótimos resultados.

O livro *Eu, Christiane F.* e a série de entrevistas foram publicados em seguida, no outono de 1978, e eu vi, bem exposta numa banca de jornal de Kaltenkirchen, minha foto num enorme cartaz da *Stern*. Imediatamente me dei conta de que aquilo ia virar minha vida de cabeça para baixo. Meus problemas de família e meu histórico com as drogas se tornavam públicos. Sem chance de voltar atrás. De repente, tornei-me uma celebridade.

Por três meses, Kai Hermann e Horst Rieck vieram diariamente me ver na casa da minha avó, depois da escola. Trabalhávamos mais ou menos quatro horas, até eu me sentir exausta. Mas as entrevistas tiveram um efeito de terapia. De alguma maneira, todas aquelas perguntas me ajudavam a compreender melhor o que havia acontecido em Berlim. Porém, como acontece na terapia, quando tudo sobe à superfície é extremamente doloroso.

Horst era bom na parte das pesquisas, e Kai escrevia. O que estávamos levando a público era realmente pesado, só compreendi isso mais tarde. Apenas contei aos dois jornalistas tudo que eu havia vivido — e retrospectivamente me surpreende que ninguém da minha família estivesse presente naquelas conversas. Nem meu pai nem minha mãe jamais apareceram, nunca perguntaram como as coisas se passavam, sobre o que falávamos, o que estava sendo transmitido para o papel. Hoje em dia me arrependo de muitas coisas que disse naquele momento. Sobretudo com relação ao meu pai, descrito como um fracassado que só aparecia para brutalidades.

É que ele era muito novo. Tinha só 18 anos quando nasci. Isso não é desculpa para o seu comportamento, mas torna-o um pouco mais compreensível — e suportável. Ainda hoje fico com a consciência pesada por ter exposto todo mundo. Mas meus pais poderiam ter evitado isso se procurassem saber o que eu contava aos jornalistas.

Depois da publicação do livro, me tornei o principal assunto de conversa por ali e, mesmo quando ia a Hamburgo, muita gente me reconhecia. No início era meio estranho, porque eu não tinha nada de especial e, no fundo, nem todas as coisas que eu havia feito eram negativas. Também não sabia muito bem quanto dinheiro eu ia ganhar.

No dia em que completei 18 anos, tive acesso a uma conta em que havia cerca de 400 mil marcos!

E como o livro encabeçava a lista dos best-sellers, me propuseram um emprego no ramo em que eu me tornara alguém: comecei uma formação de livreira numa loja de Kaltenkirchen.

Nikolai Walter trabalhava no Commerzbank, em frente à livraria. Ele era muito bonitinho, querido por todos e as mulheres adoravam dar em cima dele. Eu me propus a apresentá-lo a uma colega, mas, assim que a gente se encontrou, nos sentimos tão bem um com o outro que começamos a namorar. Passamos a frequentar o Markthalle de Hamburgo, no Mini Cooper dele. Era um inferno na autoestrada aquele carrinho pequeno e velho, colado no chão. Era como se estivéssemos num carrinho de bebê; os outros carros pareciam gigantescos. Dava para sentir o menor calombo na pista.

Nikolai também detestava quase tudo em Kaltenkirchen. Mesmo assim, nossa relação não durou muito tempo. Quando resolveu servir no exército, isso não entrava na minha cabeça. Nem todo o resto. Como? Serviço militar? Em Munique? Não dava para mim. E Nikolai? Trabalhava num banco, era jovem, magro e bonito. Não era de se jogar fora. Mas não havia nada a fazer.

Continuei indo a Hamburgo, só que sozinha, geralmente, e quando ele estava lá, nos fins de semana, se sentia mal, porque eu ficava mais próxima de outros caras. Dos quais, aliás, ele também gostava e quis ser amigo. Passar de repente da vida num vilarejo para a cidade grande não é pouca coisa. Além do mais, conhecera gente que fazia música! Era como pegar o metrô no subúrbio de Londres e descer em pleno Soho: descobri um mundo imenso e todo colorido. Bom, de qualquer forma, as coisas não funcionavam mais entre Nikolai e eu. Daí, numa presepada típica de adolescente, peguei outro cara: Jackie Eldorado. Ainda hoje me surpreendo com minha ingenuidade absurda naquela época. Assim que atingi a maioridade, parei com a pílula. Minha mãe tinha me obrigado a tomar assim que soube da minha relação com Detlev, em Berlim. Com o tempo, reconheço que foi uma boa imposição, pois essa decisão me evitou muitos problemas. Mas quando era adolescente e mesmo depois, aquilo não era muito claro; eu não queria mais tomar a pílula e ponto final. Era a minha maneira de resistir e ser livre. Depois das histórias enroladas pelas quais havia passado com clientes quando me prostituía em Berlim, depois de um monte de doenças venéreas nojentas, me sentia bem feliz de ter prazer com uma sexualidade normal.

Quando jovem, não tinha a menor ideia do que fosse contracepção. Tinha faltado às aulas de iniciação na escola para me prostituir — que ironia!

Não via nada, não sabia de nada, mas bancava a adulta que tinha perfeita noção do que queria. E, para começar, peguei Jackie Eldorado.

Às vezes me pergunto o que teria acontecido se o livro não tivesse sido publicado. Provavelmente não teria tido o aprendizado na livraria, que foi oferecido por eu ser Christiane F.

Uma vez tive oportunidade de estudar economia doméstica por um ano. Poderia depois ter sido costureira. Tentei fazer decoração de vitrines por algumas semanas, mas aquilo não era para mim. Tinha necessidade de seres humanos em volta de mim, e não de manequins e tecidos. Acho que sem o livro eu teria me casado com Nikolai e seríamos pais de dois filhos. Viveríamos uma vida calma e moderada, controlando nossos gastos. Não é num guichê de banco que alguém fica rico e, além disso, não fui feita para uma carreira normal. Não sou preguiçosa, preciso sempre ter alguma coisa para fazer, mas não consigo seguir os caminhos demarcados. Acabo sempre pegando um viés pelos sentimentos e impulsos, não penso tanto em objetivos futuros.

Quando cheguei em Kaltenkirchen, não tinha nenhuma ideia do que ia acontecer. Sem a menor perspectiva, sem saber o que fazer da vida e sem me atrever a começar nada. Era um caso completamente desesperador. Por esse ponto de vista, foi bom eu ter sido atropelada pelo livro, porque comecei a sair da minha toca — o que me levou a Hamburgo, a um universo totalmente novo e a dividir um apartamento com músicos.

Foi na Markthalle de Hamburgo, em 1980, que os conheci. Era onde, antigamente, aconteciam shows badalados, em geral organizados por Klaus Maeck. Mas ainda circulava muita gente por ali e havia bares e salões de jogos. O local era ponto de encontro de muitos artistas. No fim de semana, eu saía da casa da minha avó, pegava o trem em Kaltenkirchen com destino à Neumünster. A passagem custava 7 marcos e eram 25 quilômetros até Hamburgo Eidelstedt. De lá, seguia para Markthalle.

Nenhum proprietário normal ia querer locatários como nós: quatro rapazes e uma garota que, mesmo tendo ficado rica, era conhecida por ser uma *junkie*. Éramos os *Geniale Dilletanten* (com erro ortográfico), mas, para muitos burgueses de Hamburgo, não passávamos de um bando de desempregados. O "Genial Diletantismo" se lançava contra toda a tradição do pop e, "diletante" em seu estilo de composição, se assumia como tal. Estava no caminho certo para revolucionar a história da música. E bem à frente do seu tempo, com projetos de filmes e música superlegais.

Eu calçava botas com pregos, tinha sombra escura nos olhos e a metade da cabeça raspada. Os rapazes usavam corte moicano ou algo do gênero, vestiam roupas escuras e na maioria das vezes pareciam sonolentos.

Os proprietários nos viam e imediatamente imaginavam noitadas com drogas e bacanais. Então acabamos alugando o lugar em que antes funcionava a redação do *Notícias de St. Pauli*, em cima de uma sex shop, dando diretamente no Reeperbahn. No número 12 da Hein-Hoyer-Straße, um prédio art nouveau magnífico, de pé-direito alto e estuques, um antigo bordel.

O quarto mais bonito e mais calmo era o de Klaus Maeck. Ele tinha aberto, à beira do Alster, a *RipOff*, a primeira loja de discos punk, e fundaria mais tarde, com um sócio, uma produtora independente de discos, chamada Freibank. Tinha 30 anos e para mim, no auge dos meus 18, era um velho. O aluguel estava no nome dele. Era quem tinha mais idade e o considerávamos o nosso guru. Adiantei os 6 mil marcos de caução, que foram sendo deduzidos do meu aluguel.

Frank Martin Strauß, também conhecido como Unidade FM, era o terceiro da turma. Participava de vários grupos musicais conhecidos como Abwärts, Palais Schaumburg e, mais tarde, Einstürzende Neubauten. Era o irmão mais novo do ator Ralf Richter, e nós o chamávamos "Mufti". Vinha em seguida Jochen Hildisch, que ficou famoso como Jackie Eldorado, o primeiro músico punk de Berlim. Tinha sido manchete dos jornais quando, num concerto ao vivo à beira do Spree, em 1977, lambeu de cima a baixo a perna da calça de Iggy Pop. *Last but not least*, Frank Ziegert, vocalista do Abwärts, do qual na época eu era muito fã. Quase fiquei sem ar quando soube que ia viver sob o mesmo teto que o cantor do meu grupo preferido.

A disposição do apartamento era simples: um corredor comprido e cinco quartos, todos com vista para a rua. Havia um lavabo em cada um, da época do bairro vermelho, a zona da baixa prostituição. Logo na entrada, à esquerda, havia um bom espaço recuado, que devia ter sido a recepção, naquele tempo, e era onde guardávamos as bicicletas. Ao lado, ficava o banheiro para as visitas e, em frente, o primeiro quarto. Os outros quatro seguiam do mesmo lado. O último nos servia de ambiente comum, onde ficavam os instrumentos e as coisas da casa. Sempre havia músicos que se hospedavam por um tempo. Tinham dinheiro suficiente para gravar no estúdio Hafenklang, mas não para pagar um aluguel. Um deles era Campino, integrante do grupo que na época se chamava ZK e posteriormente seria o Toten Hosen.

O estúdio Hafenklang é um magnífico local de cultura e música em Altona. É uma das últimas casas do século XIX, que ainda nos faz lembrar como era a cidade naquela época, com ruas estreitas e escadas irregulares descendo até as margens do Elba. Do estúdio veem-se os barcos no rio, é bem bonito. Udo Lindenberg e os Einstürzende Neubauten moraram e trabalharam ali. Nos anos 1980, a casa era ponto de encontro de artistas criativos, pois tinha no interior o primeiro estúdio de gravação de 24 pistas da cidade. Afora isso, na época, sempre aconteciam shows no subsolo, organizados pelos administradores do estúdio.

Além do Neubauten e do Abwärts, os grupos da época eram os Krupps, o Freiwillige Selbstkontrolle e o Palais Schaumburg. A divulgação foi feita pelo selo hamburguês ZickZack. Com a *RipOff* servindo de ponto de vendas inicial, no bairro Karo de Hamburgo, e junto com outros de Düsseldorf, Berlim e Hanover, o ZickZack foi um dos primeiros selos inovadores importantes a marcar a cultura musical na Alemanha.

Era a época dos punks e da nouvelle vague alemã e nosso apartamento improvisado nas antigas salas de redação do *Notícias de St. Pauli* foi o epicentro!

No início, não me dava conta de que os outros locatários tinham muito menos dinheiro que eu e eram bem menos conhecidos. Admirava-os e me sentia muito bem com eles. Continuei minha formação numa filial hamburguesa da livraria e nos fins de semana trabalhava para Klaus. Em Markthalle, às vezes eu ficava nos bastidores cuidando dos artistas que se apresentavam em shows que ele organizava; outras vezes íamos para o 31 da Feldstraße, no Karolinenviertel.

Era a *RipOff*, hoje conhecida como *Ruff Trade Record*. Uma loja de discos e um selo que Klaus administrava com Jochen e Alfred. Alfred Hilsberg era crítico das revistas especializadas *Musik Express* e *Sounds*. Ele foi muito importante na fixação do conceito de nouvelle vague alemã e também teve grande influência na cena musical do final dos anos 1970 e início dos anos 1980.

À noite, na *RipOff*, amarrávamos pacotes para enviar às grandes lojas de discos. Klaus gostava que eu estivesse por perto, pois, graças à formação que tive, podia me virar com a contabilidade e organizar a papelada.

Mas, combinar os estudos com o trabalho à noite acabou sendo demais para mim: eu quase não dormia e comecei a cheirar cocaína para me manter acordada. Muitos amigos também cheiravam coca, mas não se via heroína. Nem queriam ouvir falar disso. Mas a coca era todo dia. Fumávamos uns baseados também. Em toda essa época, no que se refere à heroína, me mantive limpa.

Uma noite, na Markthalle, depois de uma rodada de cocaína no banheiro, eu estava no fliperama com Frank e Mufti, quando vi um cara vestido de maneira incrível. A calça dele era feita com um tecido que se usa para revestimento interno de automóveis. Calçava botas de borracha transparente e podiam-se ver os buracos nas meias. No pescoço, havia um verdadeiro colarinho de padre católico! Com as olheiras e o rosto pálido, parecia estar vindo de um funeral punk, como encarregado do sermão. Era Blixa Bargeld, o cantor dos Einstürzende Neubauten.

Naquela época, esses caras ainda eram completamente desconhecidos. Depois de um show de Campino e ZK, em que quase tudo que estava ao nosso alcance voou pelos ares, eles não se arriscaram mais a fazer apresentações no palco. O show em Hamburgo seria o primeiro fora de Berlim; era uma oportunidade e tanto, então eles acabaram aceitando. O modo como tocavam era incrível. Fiquei agitadíssima e o tempo todo atrás de Klaus para que fizesse um contrato com os caras. E o encontro acabou se tornando uma longa amizade, uma verdadeira parceria. Klaus por muito tempo foi conselheiro e produtor dos vídeos dos Neubauten. E, anos mais tarde, fundou a produtora de discos Freibank com Mark Chung, o baixista do grupo.

O guitarrista dos Einstürzende Neubauten se chamava Alexander Hacke. Quando nos conhecemos, ainda era adolescente e morava com a mãe em Berlim-Buckow, ou seja, em Neukölln. Achei-o realmente bonitinho. No início, apenas trocamos cartas e às vezes colocávamos no envelope fotos ou lembrancinhas artísticas. Quando ele terminou o secundário, veio morar conosco, dividindo o apartamento. Foi quando passamos a ficar juntos.

Pouco depois, viajei para os Estados Unidos. Bernd Eichinger tinha adaptado meu livro para o cinema, o filme fazia muito sucesso na Europa e seria lançado nos Estado Unidos. Natja Brunckhorst, que fez o meu papel, tinha apenas 14 anos. O pai queria acompanhá-la de qualquer jeito nas entrevistas para a imprensa americana e só causava problemas. Então Eichinger e Uli Edel, o diretor, preferiram que eu fosse.

Herman Weigel, o roteirista, Edel e eu viajamos de primeira classe para Los Angeles! Bernd estava morando em Hollywood e o encontraríamos mais tarde. Tudo começou a mil por hora. Assim que aterrissamos uma enorme limusine nos esperava.

— Não vamos direto para o hotel — avisou Uli no carro.

— Aonde vamos? — perguntei.

Quando soube que tínhamos um encontro marcado com Rodney Bingenheimer na KROQ, a estação de rádio do rock, pirei geral.

— É mesmo? Que maravilha! Conheço o programa, todo mundo conhece, é o delírio total!

Bingenheimer foi determinante para o rock, o punk e o *new wave* americanos. Foi um dos primeiros a fazer com que gravassem grupos como Blondie, Sex Pistols e Ramones que, a partir de então, entraram para a história da música.

O estúdio da KROQ era surpreendentemente pequeno. Cheio de discos por todo lugar e paredes isoladas com caixas de ovos. Além do engenheiro de som atrás do vidro não havia mais ninguém além de nós. Pessoas ligavam, americanos que tinham visto o filme. Às vezes eu realmente nem sabia o que dizer. Felizmente Uli Edel estava lá e respondia parte das perguntas. Ou fazia a tradução para mim. Desde o início me entendi superbem com Rodney. Quando me propôs um passeio para mostrar a cidade, é claro que imediatamente aceitei. Ele passou para me pegar no fim do dia em Château Marmont e percorremos os melhores bares e restaurantes. Mas eu tinha que estar de volta às dez da noite; afinal, ainda tinha 19 anos.

Era estranho. Na Alemanha eu estava na farra havia anos, mas nos Estados Unidos não podia entrar em lugar algum. Só depois dos 21, meus amigos! É a América... Uma vez fomos a uma boate em que não serviam álcool. Só o fato de algo assim existir ia além da minha imaginação. Bingenheimer, por sua vez, não bebia, não fumava, não consumia droga nenhuma, nada. Eu estava em boas mãos, Uli e Bernd sabiam.

Nessa mesma boate simplesmente encontramos Billy Idol e tomamos um suco de fruta com ele. "Ninguém vai acreditar", pensei com meus botões.

Logo no dia seguinte tínhamos um primeiro encontro às oito e meia. Os caras da televisão tinham achado um bom lugar para a entrevista: uma piscina de hotel com ladrilhos negros. Na época, eu tinha os cabelos tingidos de preto e achava que seria perfeito para a imagem. Estávamos então sentados lá fora, ao ar livre, na área interna do hotel, quando de repente uma porta foi aberta e um bebê de macacãozinho entrou engatinhando, indo direto para a piscina. Atrás veio uma babá negra. O bebê era Cosma Shiva Hagen, tinha apenas 1 ano e conseguira abrir a porta sozinha.

Atrás do bebê e da babá, veio Nina Hagen, nervosa. Ela passou apenas a cabeça pela porta e viu que Uli e eu estávamos nas cadeiras, prontos para a entrevista. Exclamei:

— Incrível, tem gente de Berlim em todo lugar que vamos.

E Nina respondeu:

— É mesmo? E você, quem é?

Foi como nos conhecemos e ficamos amigas. Foi muito divertido. Ela me pegava num Buick turquesa com chofer para ir a shoppings e para assistir a desfiles de moda em grandes lofts industriais. Era quase impossível ter uma conversa de verdade com ela, pois Nina estava numa "fase óvni", de forma que tudo acabava sempre no vazio extraterrestre. Mas a gente se divertiu um bocado e enchia a cabeça de fumaça.

Em Los Angeles, todo mundo fumava baseado sem misturar com tabaco. Fumar? Não. Ficar numa boa, sim. "Você estragou o baseado", me disseram uma vez em que enrolei o fumo com tabaco.

Um dia fomos ver Rodney no estúdio e participamos do programa com ele, de improviso. Nesse dia, Nina se tornou uma estrela nos Estados Unidos.

Estávamos no ar, Nina, Rodney e eu, e os ouvintes perguntaram o que eu gostava de ouvir. Passei então uma fita cassete que havia trazido da Alemanha. Nela, tinha uma faixa com Nina: *99 Luftballons*.

Bingenheimer gostou tanto que voltou a transmitir a canção num dos programas seguintes, apaixonado pela música pop alemã. Foi como Nina conquistou o mercado americano.

Noutro dia, fomos à casa de Bingenheimer perto de anoitecer. Ele morava em um apartamentinho chique, com toda a parafernália técnica. Mas era pequeno, modesto se comparado ao luxo que se vê geralmente em Los Angeles. Bingenheimer vivia a fundo no trabalho. Junto à pia tinha um monte de fotos: ele com Blondie, com Boy George, com os Rolling Stones. Quase me deu pena ver aquilo. Parecia se identificar inteiramente, mas a obsessão pelas estrelas era meio irreal. O que sobrava quando o microfone estava desligado? Ou os projetores? Nas viagens seguintes que fiz aos Estados Unidos, muitas vezes voltei a vê-lo e ficava cada vez mais claro que aquela vida na aba das celebridades era tudo para ele. Não tinha mulher, filhos, ninguém. No fundo, estava completamente só.

As pessoas me adoravam nos Estados Unidos, tudo aquilo era genial. Certa manhã, acordei e estava a maior agitação no Château Marmont, no Sunset Boulevard: polícia, ambulâncias, paparazzi e equipes de televisão em toda a parte. Procurei Uli Edel no quarto dele e ligamos para a recepção. O que está acontecendo? John Belushi, um dos Blues Brothers, morrera durante a noite no hotel. Tinha tomado Speedball. Disseram que entrei em pânico total com a notícia da overdose e que inclusive Uli e eu mudamos de hotel, por eu ter ficado impressionada demais. Um monte de idiotice. Na época, eu nem sabia quem era John Belushi. Estávamos hospedados no Château Marmont. Não se vai embora dali só porque alguém que a gente nem conhece morreu!

Uma overdose que mexeu muito mais comigo e que aconteceu na mesma época foi a de um dos meus primos de Kaltenkirchen. Dois anos depois de termos nos visto pela última vez, ele morreu de overdose de heroína. Não faço a menor ideia de como ele chegou a isso; em todo caso, não tinha bons amigos: foi largado morto num banco do parque. Uma coisa terrível. É claro, meus tios acharam que a culpa era minha. Mas eu não tinha nada a ver com isso, inclusive nunca havíamos nem falado de drogas.

Porém, tudo isso estava longe, e nesse meio-tempo pegamos o avião para Nova York. Ficamos no Park Inn, no 23º andar, e eu tinha uma suíte imensa. Estava contente porque Klaus Maeck ia chegar. Ele tinha um negócio a tratar na cidade e imediatamente pedi que me dessem outro quarto, com duas camas. Já não tinha mais vontade de estar sozinha.

Em L.A., não me chateava ter sempre que responder as mesmas perguntas. Eu era tratada com delicadeza e absorvia como esponja o inglês, contente de compreender e me expressar cada vez melhor. Não poder falar? Para mim é impossível!

Depois da bela estadia em Los Angeles, cheguei numa Nova York cinzenta, agitada, onde as pessoas me pareceram tensas e estressadas. Fiquei tão incomodada que fui embora três dias antes do previsto. Não sei bem como tudo se passou, mas eu tinha minha passagem, fui ao aeroporto, simplesmente peguei o avião e voltei para casa. Era a primeira vez que ficava tanto tempo fora.

Aterrissei em Hamburgo por volta das cinco da manhã. Klaus tinha ficado em Nova York, e carregar minha mala enorme sozinha era um problema. Com meus 53 quilos da época, tinha trazido tanta bugiganga (coisas absurdas como uma cabeça de caveira fosforescente) que foi uma dificuldade chegar ao táxi. Naquele tempo, as malas ainda não tinham rodinhas.

Em casa, fui logo acordando Alexander:

— Acorda que cheguei e tenho uma mala cheia de coisas.

Ele se levantou num pulo, me beijou e reagiu como se fosse uma criança:

— Oba! Então abre! O que tem aí? O que trouxe?

Aquele jeito dele realmente me fez falta nos outros namorados que tive, havia candura e naturalidade. O prazer da vida e da descoberta.

No ano seguinte, fomos juntos aos Estados Unidos. Não eram férias, nunca tirei férias na vida, detesto essa palavra. A gente deve sempre ter o que fazer, um motivo qualquer. E tínhamos um: o som. De tanto conviver com músicos, me veio a ideia de ser cantora solo. Com o nome artístico de Christiana, gravei um disco no estilo da nouvelle vague alemã e fundei o grupo Juventude Sentimental com Alex. Entre outras coisas fizemos um show em Berlim, em 1981, dentro do festival Geniais Diletantes.

Numa boate badalada em Berlim chamada Risiko, tínhamos conhecido Rick e a amiga dele, que era filha de imigrantes espanhóis, sendo ele norueguês. Moravam em Pasadena, um subúrbio de L.A. que era a minha cara. Casinhas pré-fabricadas com jardim à frente, muitas árvores e palmeiras, montanhas e sol. Eu me sentia em casa. Quando me perguntam onde me senti melhor na vida, respondo: Pasadena.

Gravamos algumas músicas lá: as canções *Wunderbar / Der Tod holt mich ein* e *Gesundheit*.

Mas, para falar francamente, levei a música tão pouco a sério quanto o trabalho de atriz. Claro que foi divertido e, é claro, também tinha orgulho disso, mas sabia que não era nenhuma supercantora nem uma atriz genial. De qualquer forma, foi uma ótima época para Alexander e eu — também por ter encontrado meu ídolo da juventude: David Bowie.

A produtora de Eichinger me chamou. O filme tinha sido concluído no final de 1981, Bowie e eu devíamos assistir e fazer cortes. Seria em Lausanne, onde o meu astro morava! Ele tinha uma bela e rica casa na Suíça romanda. Eu estava agitada como nunca antes na vida e embarquei com minha amiga Franziska e uns gramas de coca. Pegamos o avião para Genebra e demos a volta no lago, de trem, até Lausanne, onde um motorista nos buscou na estação num carrão 4x4 preto.

Estava morrendo de medo e precisei refazer a maquiagem várias vezes.

Bowie tinha um pequeno chalé. O "castelo do Sinal" era uma casa simpática e despretensiosa. De tijolos, num bloco único e com garagem para dois carros apenas. O pátio interno, bem verde, era na verdade um telhado-terraço com vegetação. As janelas em pirâmide que saíam da relva deixavam que se imaginasse ser o chalé apenas a parte visível do iceberg, devendo existir uma área subterrânea. Proteger-se visualmente era importante para um astro do calibre de Bowie: ao redor da propriedade, inúmeras árvores impediam que se visse a casa, a não ser do céu.

Mas só a vi em fotos de revistas. Em Lausanne, fiquei hospedada num hotel.

O 4x4 negro parou diante da estação e tive medo de subir: sabia que ele estava lá dentro!

Tinha as mãos úmidas e o coração aos saltos. Respirei fundo várias vezes e pus o pé no estribo do enorme veículo! Aquilo tudo era real? Depois outro pé. Incrível, devia estar sonhando! Ele estava ali, sentado na poltrona de couro preto como um rei. Só os dois no carro. Mais tarde é que soube ser uma grande cortesia da parte dele, pois só muito raramente recebia alguém sem sua empresária, Coco Schwab, pior do que uma mãe protetora, e suas assistentes.

Não acreditava no que via: ele era menor do que eu, mais magro e usava um bigode como o do meu pai. Alucinante! David Bowie de bigode?

Porém, estava excitada demais e assustada com o que acontecia para me dar conta do quanto tudo era decepcionante. De início não consegui dizer uma palavra. Bowie notou que o encontro me deixou totalmente fora de mim. Perguntou se eu estava bem e se havia feito boa viagem. Respondi que sim. Afora isso, durante o trajeto inteiro não parei de olhar pela janela, intimidada, e não me atrevi a dizer uma só frase. Após quinze minutos de silêncio constrangedor, finalmente chegamos ao cinema.

Para mim, era Bowie a estrela do meu filme.

Depois da projeção ele rapidamente desapareceu e peguei o avião de volta para Berlim. Dois anos depois, Bowie lançou *Let's Dance* e minha admiração, depois da decepção visual, levou outro golpe mortal. Eu tinha gostado do artista, o homem-cão exótico da capa de *Diamond Dog*. O louco fora das normas. Mas isso tudo tinha passado, e ele não era mais o que a garotinha que fui havia visto nele.

Com a idade, achei também que sua música se desmascarou: era puro *mainstream* eletrônico!

Vejo-o hoje como um gênio das finanças, com total domínio dos negócios. Tem várias empresas sem nenhuma relação com a música e é um dos artistas mais ricos do planeta. Mas, artisticamente, acho que é um talento mediano. Tornou-se o seu próprio produto de marketing, fez música para as massas. Quando me dei conta disso, foi um choque. Desmanchava-se uma ilusão à qual tinha me agarrado nos períodos negros. Um sentimento vital morreu.

Sem querer ainda confessar que Bowie não era o que eu pensava, tentei conseguir ingressos para o seu show na Waldbühne de Berlim, em 1983. A produção prometeu me mandar duas entradas com acesso aos bastidores, mas recebi só um, e com entrada normal. Não queria ir sozinha, quem vai sozinho a um show? Estava furiosa. Meu filme tinha tornado Bowie ainda mais célebre, sobretudo na Europa. Fiquei realmente irritada e decepcionada. Que cara de pau!

Desisti de ir e, mais tarde, na mesma noite, fui ao Dschungel como sempre fiz. E ele estava lá. Bowie. Não nos encontramos naqueles dois anos, mas ele me reconheceu e perguntou como eu estava. Contei então o que havia acontecido e ele perguntou: "*Are you ready for an awesome trip tomorrow?*". Está pronta para uma viagem incrível amanhã? Imagine se não estava!

No dia seguinte, uma limusine foi me buscar em casa, na Reuterstraße, e me levou ao aeroporto de Tegel. Embarquei no jato emprestado dos Rolling Stones com Bowie e toda a equipe. Que avião era aquele? Incrível! Não havia propriamente poltronas, só umas doze, para casos de emergência. Em vez disso, o espaço era ocupado por enormes camas redondas com lençóis de cetim e um bar bem abastecido. Bancos, uma aparelhagem de som e muitos discos. Quando fui ao toalete, fiquei alucinada — era tudo grandioso. Um banheiro de mármore em pleno céu!

Ao lado havia um imenso quarto que se podia fechar a chave. A equipe estava de superbom humor, todos descansavam e começavam a beber os primeiros gins-tônicas apesar da hora. O prego no avião era o próprio Bowie: ficou sentado num canto, olhando o chão à frente dele. E eu não podia nem me aproximar porque ele morria de medo de avião. Pelo menos foi o que disse Coco Schwab. Assim que aterrissamos, ela rapidamente o levou para fora e eu nem pude me despedir.

Fui com o grupo para o estádio e assisti ao show nos bastidores, com Bowie que, nos intervalos entre as músicas, perguntava se eu realmente estava gostando! Terminada a apresentação, todos se foram muito rapidamente e ninguém mais se preocupou comigo. Deixaram-me ali e eu nem sabia em que cidade estava. Precisava reconhecer que nossos encontros eram tão superficiais quanto nossas conversas. Entre Bowie e eu, a coisa nunca passou do papo furado.

Foi mais ou menos nesse período que tive minha primeira ruptura com Alex. Eu acabara indo para a cama com meu vendedor de cocaína. Ele chamava-se Gerd e era marido da Marion. Os dois adoravam heavy metal e, no contexto dos anos 1980, eram verdadeiras provocações ambulantes. Os cabelos dela eram lisos, mas com muitos *dégradés* e alturas diferentes. E roxos, exceto por uma mecha preta que caía no rosto e escondia os olhos maquiados de preto. Usava sempre uma calça de cetim listrado em preto e branco, e botas vermelhas de caubói. Gerd se parecia com Keith Richards: rosto fino e escavado, cabelos desarrumados, em geral sob um chapéu. Onde quer que fossem levavam o dálmata que tinham.

Na época, Marion e Gerd tinham feito muito dinheiro em Hamburgo, fornecendo pó em grande quantidade para grupos conhecidos. Foi como conheci o Genesis. A princípio entregaríamos apenas o brilho e iríamos embora, mas acabamos ficando a noite inteira. Caso alguém tenha ideias tortas: não, Phil Collins não estava presente!

Um dia, porém, Marion aterrissou na cama de um roqueiro. Quando Gerd viu, deu em cima de mim, por desespero. Eu disse a ele:

— Gerd, sei como se sente, mas não é motivo para se consolar comigo. Não vou transar com você só porque a sua mulher está numa boa no quarto ao lado.

Mas não sei como nem por quê, acabamos na cama.

Com a besteira feita, Marion acabou engravidando, mas Gerd perdoou. Adotaram a criança e depois tiveram outra. Era muito mais importante do que uma transa de uma noite. Para mim é um bom exemplo de que podemos perdoar quem nos enganou.

A relação muda, não tem como negar, mas também pode se tornar mais profunda, mais madura. É possível. Para mim, o importante é que o cara seja amigo. Afinal, necessito mais do que sexo com meu parceiro. Mas quem sabe é preciso ter chegado a uma certa idade para tal estado de espírito. Na juventude, a gente sempre acha que o parceiro é o definitivo e que vão passar a vida inteira juntos. Mas não se tem a menor ideia do que seja "a vida". Quanto tempo dura? Antigamente sabíamos menos ainda que hoje. Como é isso, "a vida"?

Na época, foi uma besteira. O que fiz com Alexander. Eu era a primeira pessoa com quem ele tinha ido para a cama e, de repente, conto como quem não quer nada, no café da manhã, a história com Gerd. Achei que estava sendo legal, que o mais importante era ser honesta. Mas isso partiu o coração dele.

3

Toxitus

Um dia, dei de cara com um homem negro plantado à frente da porta do apartamento com uma caixa nos braços. Éramos quatro ainda dividindo o apartamento de Hamburgo, mas os músicos estavam frequentemente em turnê, no estúdio ou fazendo shows. Quando isso acontecia, eu ia por alguns dias para a casa de Miriam e Guido, não querendo ficar sozinha, nunca gostei disso. E o negro que eu desconhecia estava plantado ali, querendo falar com Miriam e Guido, sem falar mais nada nem se identificar. Eles não estavam. Aparentemente, disseram ao cara que poderia deixar uma caixa no sótão. Fazer o quê? O sujeito estava ali, olhando para mim. Tive certo medo e deixei que levasse a caixa para cima. Depois ele foi embora com um "tchau" e tratei de esquecer aquilo.

Mas me perguntava o que podia haver na caixa. E um dia minha intuição se confirmou. Indo visitar Miriam e Guido, encontrei-os na cozinha. Guido estava sentado à mesa, tendo diante dele uma folha desdobrada de papel alumínio como os de pacotes de café. O que se chama *paper*. Raspava o pó marrom que havia em cima.

Explicou não ter entendido direito que o negro, seu conhecido do bairro, estava falando de heroína quando perguntou se podia usar o sótão deles para guardar uma caixa. Como o cara tinha sido preso, por prudência, Guido e Miriam verificaram o que havia lá. Levaram um susto. Não queriam história com heroína. Mesmo agora que estava ali, aos quilos, não queriam vender. Mas não se pode jogar algo assim na lata de lixo, então a caixa voltou ao sótão.

Além do apartamento de Hamburgo, onde estávamos a maior parte do tempo às voltas com música, Alexander Hacke e eu dispúnhamos de outro bem pequeno em Kreuzberg, só nosso. Frequentemente íamos e voltávamos, mas, no fundo, eu muitas vezes estava sozinha. Os rapazes, Klaus Maeck e os outros, frequentemente viajavam. Eu tinha então voltado a passar um tempo com Guido e Miriam. Durante o dia eles trabalhavam, ganhavam a vida como músicos, ou seja, estávamos no mesmo meio.

Na falta do que fazer, um dia subi ao sótão. Não saberia dizer por quê.

Era como se meu inconsciente quisesse aproveitar a oportunidade e descarregar a pressão que há semanas vinha sentindo, desde que encontrara aquele desconhecido.

Primeiro tentei enganar a mim mesma. Li o jornal *Bild* que estava em cima da mesa da cozinha e tingi o cabelo de vermelho-acastanhado, porque naquela noite ia a Berlim encontrar Alexander e queria estar bonita. Não conseguia decidir o que fazer. Parte de mim queria a todo custo uma picada, mas a outra parte sabia perfeitamente o sofrimento e a merda que aquilo provocaria. Enfim, o que dizer? Pouco depois subi e botei alguns gramas no bolso. Há cinco anos que eu estava limpa.

Mas não toquei nessa heroína por um bom tempo. Duas ou três semanas depois, voltando à casa de Guido e Miriam, a droga continuava no meu porta-níqueis e nem posso dizer que fui muito forte e resisti à tentação. Não. Apenas nem pensei nisso. Estava encantada com Igor, meu cachorro, um chow-chow que Kai Hermann me deu quando cheguei em Hamburgo.

Igor e eu fomos um caso de amor à primeira vista, e supliquei que Kai o deixasse comigo. Ele recusava e eu nem tinha motivos para ficar zangada. Mas insistia toda vez que ia visitar ele e a mulher no sítio em que moravam em Lüchow-Dannenberg. E um dia — eu estava há pouco tempo em Hamburgo — acabaram cedendo:

— Para que não se sinta sozinha na cidade.

Foi um dos melhores presentes que já ganhei na vida.

Os animais sempre foram uma família substituta para mim. Começou com Ajax, o dogue castanho que se via no início do filme. Agora havia Igor, e o pobre sofria muito com um inchaço na próstata. Com isso, por um momento, me desviei das minhas próprias fraquezas.

Então, quando entrei na cozinha de Guido e Miriam, havia meio grama de pó marrom em cima da mesa. Tinham jogado a heroína na pia, mas havia sobrado um pouco no papel que eles rasparam, para uso próprio.

— Não custa nada, afinal, experimentar um pouco — disse Guido.

Em seguida, misturou o pó escuro com o branco e começou a cheirar.

Miriam fez o mesmo e não hesitei nem um segundo. Estava morrendo de vontade e tentava me tranquilizar: uma vezinha só, que mal poderia fazer?

O pó entrou pela narina esquerda e queimou forte. O gosto era amargo, o cheiro, metálico, e imediatamente me senti mal. Em menos de um minuto, tive que correr e me debruçar na privada. Estava tão limpa que não aguentava mais nada. Vomitei sem conseguir parar, mesmo com o estômago já completamente vazio. Era bílis que saía, mas não cheguei a ficar sem ar.

"Genial, é genial demais!", eu pensava a cada espasmo. Não há orgasmo que se compare. Como aquilo tinha me feito falta por tanto tempo.

As batidas do coração e a respiração ficaram mais lentas sob o efeito, as funções gástricas e musculares, mais fracas, o corpo todo se acalmou. Isso por causa da secreção de endorfinas, como quando gozamos ou reprimimos a dor. Medo, frio, fome, não sentia mais nada que era negativo. Primeiro as dores sumiam e depois vinha um estado de doce euforia.

Entendo, pode parecer maluquice: você põe as tripas para fora e, ao mesmo tempo, tem a impressão de ser a mais bela sensação do mundo.

Havia muito tempo não me sentia tão relaxada, longe do aqui e agora, pesada e leve ao mesmo tempo. Miriam e Guido também se sentiram mal e vomitaram na pia da cozinha. Esvaziaram tudo que tinham no estômago e se sentaram à mesa para enrolar um cigarro e abrir umas cervejas. Fiz companhia, me esfregando como louca com uma escova de cabelos, pois tinha coceira em tudo que é lugar: na bunda, nos braços, nas pernas. Conhecia aquilo. Era o sangue que deixava de circular direito nas veias.

Mas era outra sensação divina, como um formigamento pelo corpo todo. Coçava muito e mesmo assim era incrível.

Foi uma noite formidável. Só terminou quando dormimos na sala, diante da televisão. Quando fui embora, não me preocupei com o que acabava de acontecer. Estava segura de não voltar a cair na dependência. Tinha sido bom demais para isso.

É quando você começa a precisar se picar que perde todo o controle. Quando se sente forçado a alimentar a besta, vem o vício. Por não sentir mais o barato de antes, é obrigado a se picar ainda e cada vez mais, só para ficar normal e lutar contra a abstinência. É onde começa a merda.

Restava ainda alguma, mas quase nada. O embrulhinho no porta-níqueis tinha mais ou menos 1 grama. Quando você começa, precisa de cerca de 10 miligramas para uma picada. Se for fumar ou cheirar, de repente umas 25 miligramas. Na época da estação do Zoo, eu precisava de até 4 gramas por dia para não estar mal, repartidas em seis ou oito seringas. Pela minha experiência da época, 1 grama nem contava. Vinte e quatro horas depois de ter deixado Guido e Miriam, não restava mais nada. Havia apenas um apartamento vazio que me esperava em Berlim. Alexander estava em turnê ou algo assim. Quando chegou, dois dias depois, eu não conseguia nem ficar contente, de tão chapada. Tinha voltado aos lugares antigos — era melhor do que estar sozinha.

O que chamávamos de reduto da droga há muito tempo ultrapassara os limites da estação do Zoo e se espalhara pela cidade. Havia drogados e traficantes em várias estações de metrô, na Kurfürstenstraße, no parque de Hasenheide de Neukölln ou no parque Görlitzer. Mas, para escapar das perseguições da polícia, cada vez mais os *junkies* tinham começado a consumir heroína em apartamentos particulares. Havia alguns com mais de trinta pessoas se picando juntas.

Hoje em dia chamam isso de *gallery shooting*. A vantagem é que um cuida do outro.

Beate me levou a um desses apartamentos, perto de Hasenheide. Ela era uma conhecida da época da estação do Zoo, uma menina seca, pequena. Tinha apenas um metro e meio. Aos 20 anos já estava coberta de inflamações horrorosas e feridas no corpo inteiro. Parecia ter 40, mas ainda ganhava dinheiro suficiente com a prostituição para pagar o vício.

Além de Beate, quem andava conosco também era Hatice, uma turca adorável que, sete anos antes, já pesava entre 80 e 90 quilos e havia ganhado ainda uns vinte ou trinta a mais. Quando ria, parecia o gato de *Alice no país das maravilhas.*

E Hatice ria com frequência desde que tinha se livrado do marido.

Gordinho, também turco, ele era traficante, batia nela e ainda a obrigava a se virar na rua. Hatice tinha só 30 anos e nada mais além do vício. Então continuou morando com o déspota. Provavelmente também não aguentaria o estresse da separação, sendo ainda bem possível que o cara não a deixasse ir embora tão facilmente. Mas um traficante rival o matou e, a partir daí, Hatice ia bem melhor.

Como seu corpo suportou tudo isto continua sendo um mistério para mim. Bebia muito, fumava e consumia, além da cocaína, qualquer droga que passasse pela frente. Era agora uma quarentona, vivia de um auxílio-desemprego e estava muito doente. Mas tinha humor e ria muito. Dizia sempre:

— Se é para morrer, que eu pelo menos vá bem estragada.

Mas parecia cada vez mais satisfeita. Era legal estar com ela.

Havia também Joséphine, uma garota paupérrima que, pelo contrário, não conseguia se livrar do marido, igualmente violento. E o sujeito nada tinha de especial, era só idiota e muito agressivo. Um troglodita de 1,90m que vivia num abrigo para sem-teto em

Friedrichshain. Um inútil nojento, que perturbava o dia inteiro, xingava todo mundo aos berros e batia muito nela.

Um dia, Joséphine se desmanchou em lágrimas na plataforma da estação Schönleinstraße. Estava arrasada. Não aguentava mais — e não por querer largar o carrasco, mas só porque, apesar de tudo, tinha medo de que ele não a amasse como gostaria.

Era tão dependente da droga quanto ele. Ninguém por perto ofereceu ajuda. Ela que contou, eu não estava lá. A maior parte das pessoas tem medo dos *junkies*. E via-se claramente que Joséphine era uma. Tinha a pele esbranquiçada e seca, olheiras, e mal chegava a 50 quilos, com 1,70m. Os bonitos cabelos compridos e ruivos eram um monte de nós, pois, de tanto sofrer, ela se esquecia de pentear. Quando começaram a ficar tão embaraçados que repuxavam o couro cabeludo, foi preciso raspar.

Heiko, que batia nela, estava sempre nas paradas. Passava a maior parte do tempo sentado com a gente num banco da estação de Anhalt ou no parque de Hasenheide, onde fumávamos cigarros juntos, à tarde. Ficava ali sentado, reclamando de tudo por qualquer motivo, xingando as pessoas pelas costas. Fedia de dar nojo, uma mistura de suor velho e álcool que saía por todos os poros. Tinha as unhas sujas e compridas. Lavava o cabelo de quatro em quatro semanas, e olhe lá.

Não faço ideia do que Joséphine via nele. Queria uma família, gostaria de ter um filho. Mesmo depois da crise, ela não conseguiu largá-lo. Em vez disso, afogava a tristeza no álcool. Desde cedo pela manhã estava tão bêbada que não conseguia andar nem falar. Tinha sempre uma lata de cerveja na mão. Depois da primeira picada do dia, ficava no chão, completamente chapada ou vomitando. Não passava dos 32 anos, mas não tinha escapatória.

Estavam sempre presentes também dois amigos, Paco e Fritz, bons rapazes, de 20 e poucos anos. Como eu, se mantinham limpos e bem-vestidos. Para se sustentar, vendiam o *Motz*, um jornal de sem-teto.

Mas como evidentemente isso não bastava, pois precisavam de 600 a 700 marcos por dia para alimentar a besta, se prostituíam. Na Joachimstaler, na estação Turmstraße e no Zoo. Ainda hoje são pontos de prostituição homossexual. Muitos desses caras são chamados agora de *callboys*: andam na rua, mas vão também à casa do cliente, que faz contato por celular. Hoje em dia, na estação do Zoo, são principalmente garotos bem moços, da Europa Oriental, que fazem ponto.

Nesse meio-tempo, a heroína ficou bem mais barata. Agora 1 grama custa apenas 40 euros, no máximo, e na época era o dobro disso.

Alexander estava frequentemente fora, mas mesmo assim rapidamente viu que alguma coisa estava estranha em mim. Em menos de duas semanas, passei a precisar de 3 a 4 gramas por dia. Acho agora que tudo se encaminhou dessa forma porque eu tentava preencher o vazio de que tinha tanto medo.

Alex estava com 17 anos. Era um sucesso, se apresentava em vários países. As mulheres faziam fila para chegar perto dele. Estava se tornando uma estrela, jovem e bonito. Teria sua própria carreira, e eu sabia que não tinha como impedir.

Uma noite, cheguei em casa bem mais tarde. As luzes estavam apagadas, e eu sabia que ele já estava na cama. Fui ao banheiro, preparei uma picada para a noite e me deitei. No dia seguinte, ele disse que me perguntou onde eu tinha estado, pois se preocupara, e eu nem ouvi. Estava tão desnorteada que não notei. Devo ter entrado no quarto como um zumbi, de olhos abertos, mas ausente. Geralmente é o que acontece. Não prolonguei a conversa.

Alguns dias depois, ele arriscou:

— Christiane, quantos gramas está usando por dia?

A voz dele tremia.

— Nada que fuja do controle — respondi da forma mais neutra possível, tomando um gole de chocolate.

Ele explodiu, desesperado. Chutou os dois sacos de ração que estavam por perto e espalhou comida de cachorro pelo apartamento todo. Depois se sentou no sofá, exausto, de olhos fixos e triste. Era um adolescente, completamente inexperiente, ao contrário de mim. Compreendi que estava estragando a juventude dele.

Como o amava, não pude simplesmente ir embora. Continuamos a gravar músicas e ainda fomos aos Estados Unidos. Os Neubauten se apresentariam em turnê por lá e eu quis ir junto, é claro. Acho que ainda tinha alguma esperança de salvar nossa relação. Mas foi um desastre, porque comecei a fumar ópio pela primeira vez.

Várias vezes desci muito baixo na vida, mas provavelmente nunca como naquela viagem aos Estados Unidos. Quando peguei o avião, estava tomando 60 pílulas e 4 gramas de heroína por dia. É incrível, muita gente morre com menos do que isso. Realmente, não tenho a menor ideia de como sobrevivi. Mandava para dentro Rohypnol como se fossem balas, e Mandrax, Stadas, Valium. Eram os de praxe. Essa apatia letárgica é o que se procura. Mas para quem está com você é horrível. Hoje em dia eu sei.

Alex não conseguia mais administrar isso. Lamento muito por tudo que o fiz passar. Ele gritava:

— Você passa o tempo todo deitada! Pior, parece que está em estado vegetativo! Não é possível nem mesmo falar com você!

Quis então largar toda aquela merda. Para voltar a ter os pés no chão, comprei codeína no mercado negro; era como a gente se desintoxicava na época. Não havia ainda tratamentos de substituição, somente antálgicos que tornam a crise de abstinência mais suportável. No final, eu era dependente de tudo.

Para os Estados Unidos, eu tinha levado comigo 5 gramas de heroína, mas no final de dois dias já havia consumido tudo. Nesses voos, um coque me servia de esconderijo para as seringas preparadas com antecedência. Na época, meus cabelos eram bem cheios e podiam facilmente esconder duas seringas. A vantagem é que você pode se injetar rapidamente, em caso de necessidade.

Eu tinha ido antes, sozinha, para ter alguns dias para lidar com a abstinência, pois estava decidida a parar. Por Alex, por mim, por nós. Mas as coisas se desenrolaram de outra forma.

Hospedei-me com Rick e a namorada na casa deles. Minhas boas intenções se desmancharam rapidinho. Hector Coggins morava bem ao lado, um artista muito bonito que fazia instalações: cabelos escuros, rosto juvenil, ombros largos e óculos. A parte de cima do corpo brilhava de suor e graxa, pois trabalhava em suas obras na garagem.

Esse lado braçal e sujo me atraiu imediatamente.

A porta estava aberta. Como achava tudo aquilo bem excitante, entrei. Hector era realmente legal e tentou me explicar sua arte.

"*My work represents destruction, pain and death.*" Minha obra representa destruição, sofrimento e morte, foi como definiu.

Nem preciso dizer que logo percebemos estar na mesma sintonia. Ele explicou que suas instalações exprimiam a pulsão que levava muita gente a se sentir mais viva, experimentando coisas que podem, na verdade, matá-las. Exaltavam-se com escolhas que no fim as derrubavam.

— Quando as pessoas se confrontam com a morte, muitas vezes ficam mais intensamente ligadas à vida.

Até então eu nunca tinha pensado muito nos motivos que me levavam a consumir drogas que afinal só me faziam mal e por que o mórbido me fascinava. E Hector me fascinava. Eu também o fascinava, podia sentir isso.

A vida comum provocava em mim uma sensação de vazio. Inconscientemente eu procurava sempre a excitação para me sentir mais viva — e depois os meios de voltar a descer.

E Hector era excitante. Na sua presença eu me sentia numa grande pirueta em estado de embriaguez. Dava-me vertigem, sentia um rebuliço na barriga. O corpo dele era de aço, com as obras que fazia. Achava isso supersexy e queria muito ir para a cama com ele. Saímos da garagem pela porta dos fundos e fomos diretamente para o quarto. Fico achando agora que fiz isso me dizendo que Alex acabaria me traindo também. Sabia que não conseguia engolir o fato de eu ter voltado a me picar. Sabia que não salvaríamos a nossa relação. Era jovem demais para toda aquela merda psicológica. Ia me largar por outra. E foi o que aconteceu.

Ainda fomos juntos a São Francisco. Ele a trabalho e eu só perambulando e encontrando pessoas — limitava-me às que me interessavam, é claro. No final de uma longa noitada numa boate, fui parar na casa de uma gente estranha num apartamento esquisito. E fumei ópio. Quando saía sozinha, acabava sempre, de um jeito ou de outro, encontrando *junkies.*

Uma vez, cheirei coca a noite inteira com os Van Halen, o grupo americano de *hard rock*. Parece que *Jump* ainda está entre uma das músicas mais influentes da história do rock — e eu estava ali quando essa história foi escrita. Foi numa noite organizada pelo AC/DC num castelo pomposo da Califórnia.

Rodney Bingenheimer foi quem me levou e havia um monte de outros músicos famosos. Estava na moda usar como penduricalho grãos de arroz com o nome gravado. Grãos de arroz, dentro de uma garrafa de miniatura, pendurada num fio de couro, era algo comum de se ver no pescoço de várias pessoas. Os caras do Van Halen tinham essas garrafinhas, mas não com arroz, e sim cocaína. Achei criativo.

Um ano antes, o cantor do AC/DC tinha morrido sufocado no próprio vômito, depois de uma noitada de muito álcool e muita droga. Isso é tão normal no meio dos músicos quanto no das drogas. Desde então o grupo tinha outro cantor, Brian Johnson, e todos ficavam alucinados quando resolviam dar uma festa. O guitarrista, Angus Young, usava um uniforme de aluno de escola, o que virou a marca da banda. Naquela mansão decorada com estuques, douraduras, tapetes felpudos e pisos de mármore, ficavam tão alucinados quanto no palco — faziam *headbang* e dançavam freneticamente, muitos seminus.

Outros não paravam de falar. Sob efeito da cocaína ganham-se ímpetos enormes de energia. Você fica ligado numa bateria, metralha o falatório e, quanto mais a noite avança, mais desanda a falar qualquer coisa. Por isso não me lembro bem do que conversavam. Dançar também não era o meu barato, mas gostava de observar aquela zona toda.

Para compreender melhor o quanto os universos dos cheiradores de pó e dos usuários de heroína são opostos, deve-se entender que há vários tipos de *junkies*. Os que se picam não são tão agressivos e, ao contrário dos cheiradores, em geral nada têm a ver com o crime organizado. Bater a carteira de um pedestre, tudo bem. E podem sair no tapa por um pedaço de chocolate. Mas os dependentes de heroína não são cafetões nem contrabandistas. No máximo, se prostituem para pagar o material de que precisam. O pessoal da cocaína, pelo contrário, assusta e está sempre disposto a qualquer coisa para garantir o pó. Você começa a cheirar e não pode mais parar.

Com a heroína, o barato é outro. Você se pica porque, se não fizer isso, a dor física é insuportável. Os da coca querem ter sensações fortes e se sentir poderosos; os da heroína querem a paz.

Os viciados em cocaína são um tipo de gente bem diferente, realmente não fazem meu gênero. Uma noite, em outra boate, uma mulher um pouco mais velha do que eu se aproximou e perguntou:

— O que você prefere, heroína, coca ou ecstasy?

— Não conhecemos isso na Alemanha — respondi.

Realmente não conhecemos. Comprei o material em pó por 7 dólares, é o preço de uma viagem de LSD. O pó vinha dentro de uma cápsula, como um medicamento. Houve uma época em que se fazia isso também com heroína, eu achava ótimo porque dava para calcular precisamente a metade.

Em todo caso, experimentei ecstasy pela primeira vez. O efeito chega mais ou menos meia hora depois e se prolonga por algumas horas. A vontade de dançar cresce irrefreável. Você se sente incrivelmente forte, sem cansaço, frio ou calor. Ao contrário da heroína, o ecstasy faz com que você fique pilhado a fundo, mastigando e fazendo caretas de maneira descontrolada. Você acha todo mundo ótimo e quer que saibam disso. Todas as inibições desaparecem e você sente cócegas na barriga, nos braços, nas pernas, no peito dos pés, em todo lugar.

Não era o meu negócio. Prefiro as drogas que assentam e não as que ligam. Na época, porém, eu estava sempre à procura da próxima onda. Curtições mais fortes do que o meu coração partido. Isso quase me matou. Mais tarde, na Alemanha (Helmut Kohl acabara de se eleger chanceler), contei a meus amigos sobre a nova droga, o ecstasy. Pouco depois, um deles foi aos Estados Unidos e trouxe uma mala cheia. Naquele tempo, essas substâncias ainda não haviam sido proibidas na Alemanha. Era o início dos anos 1980 e davam-se festas à base de ecstasy. Vendia-se também.

Numa das viagens que fez, Alex conheceu Tessa, uma bonita moça de Viena, sem nenhuma relação com os mundos da música e das drogas. Era bonita, cheia de saúde, e ele ficou encantado. Mesmo que estivesse esperando por isto, não suportei a ideia de ser abandonada. Agi contra a dor até não poder mais. Desmaiava o tempo todo e ficava em casa, encolhida num canto. Não comia nem bebia. Só me enchia de álcool.

4

Anna

Eu estava completamente vazia e apática quando Anna Kell entrou na minha vida como um anjo da guarda. Tinha uma bolsa de artista e trabalhava no Kurfürstendamm — justamente com Markus Lüpertz, o artista que hoje tem seu ateliê bem em frente ao meu velho apartamento de Teltow. Agora que somos vizinhos, um dia, passando na rua, me apresentei a ele, que publica uma revista chamada *Frau und Hund*:*

— Olá, somos Christiane e Leon, eu e meu chow-chow. Mulher e cão.

Perguntei se ele se lembrava de mim, mas a história com Anna fora há 25 anos. Markus e os que estavam com ele não pareceram achar tão engraçado. Descobri mais tarde que me enganei com o título da revista. *Frau und Hund* é uma publicação de arte e literatura. Poderiam ter dito, em vez de me deixar plantada ali como se tivesse uma doença contagiosa.

Mas voltando à Anna: era artista e casada com Daniel Keel, um editor suíço já bem conhecido na época. Grande literatura

---

* Em alemão, *Frau und Hund* significa "Mulher e Cão". (N.T.)

e romances policiais faziam o sucesso da Diogenes, a sua editora. Os Keel frequentavam um círculo completamente diferente do meu, moravam num bairro chique de Zurique. Gostaria de ter passado uma melhor impressão de mim. Heiko Gebhardt, um colega de Horst e Kai na *Stern* e que escrevera, cinco anos antes, um *happy end* para a minha história — Christiane F. se retira da cena pública, a princípio desintoxicada — dera meu número de telefone para Anna, mas bem no momento em que eu mergulhava de novo nas drogas.

Anna entrava na casa dos 40. Telefonou e disse que conhecia os jornalistas da *Stern*, que era alemã, mulher de um editor suíço, e que meu livro era o único que os seus filhos Jakob e Philipp tinham lido.

Eu ri. É claro, os pais sempre fazem besteira. Anna achava que seria bom conhecer a mulher que tanto encantara os seus filhos a ponto de fazê-los ler e me convidou para ir a seu apartamento, quase vazio, num bairro da zona oeste da cidade.

Lembro que peguei um táxi em Lehniner Platz. Podia, na época, me dar a esse luxo. Repassava as notas fiscais ao contador, como autora independente, e podia abater dos meus impostos. Só andava de táxi ou bicicleta, nunca tomava o metrô imundo, em que sempre se cai no mundo das drogas.

Assim que entrei no apartamento, me entusiasmei. Adoro cômodos vazios, sempre tive poucos móveis nos lugares em que morei. No de Anna, quase não tinha nada: uma cama, uma mesa e um balcão de cozinha — tudo muito elegante e caro. A única marca pessoal eram as roupas, espalhadas por todo canto, como fazemos em geral nos hotéis.

De alguma maneira, acho que a criatividade precisa de espaço. O apartamento era de dois cômodos bastante pequenos e um banheiro. Nada de flores nem fotos, mas havia num canto, perto da janela, um sublime desenho a carvão num cavalete. Era uma pomba, em diferentes tons de cinza. Falamos do trabalho dela de artista, do meu livro, de mil coisas e a conversa foi animada desde o início. Acabei perguntando:

— O que você tem na geladeira?

Sem esperar resposta, abri e o que vi? Uma pomba morta. Adorei, mas Anna ficou vermelha e sem graça. Explicou que na hora estava sem a câmera polaroide e precisou então do cadáver para desenhar.

— Por favor, não vá pensar que sou doida — quis se justificar.

— Penso, sim! — respondi.

Anna era meiga e boa. Uma bela mulher, loura e com muito charme. Nada burguesinha. O que gostava nela era que sempre era elegante, mas descontraída. Os cabelos eram cortados em camadas e se precisasse se preparar para um evento mais solene, uns poucos bobes bastavam. Em vinte minutos estava perfeitamente apresentável.

Tinha realmente muita presença. Ainda bem, pois como todo homem de personalidade forte, Daniel não era fácil. Homens assim precisam de uma companheira ainda mais firme. E Anna era desse tipo, não cedia aos caprichos e angústias do marido, mas estava sempre presente. Não se incomodava que ele se dedicasse tanto ao trabalho, pois tinha o seu. Pintava naturezas-mortas, nus e fazia fotos incríveis. Naquele período, trabalhava com retratos fotográficos como louca, imagens impressionantes que contavam vidas inteiras. Dei força para que publicasse as polaroides. Tem também uma foto minha no livro. Foi tirada no dia em que nos conhecemos. Eu pesava 53 quilos e tinha um dogue enorme comigo: Beate, uma bullmastiff.

Na foto, eu segurava a cadela com uma das mãos e um café com a outra. Estava com roupas esquisitas à americana, com listras e franjas. Tinha comprado durante a viagem de divulgação do filme nos Estados Unidos.

Uns meses depois, fui à Suíça visitar os Keel, que naturalmente me hospedaram. Alugavam ainda uma casa antiga, de madeira, na Eleonorenstraße, de três andares e escadas de degraus altos. Nada pomposa, sem roseiras nem jardineiro, somente muitas obras de arte, livros e pilhas de papel por todo lugar.

Ouvia-se o apito dos trens, os sininhos das vacas e a velha senhora do andar de cima que reclamava:

— Não façam tanto barulho!

Era a proprietária, uma mal-humorada que não lia os romances da Diogenes, e sim a Bíblia. Irritava-se porque à noite, durante o jantar, eu contava minhas histórias, empolgada, e todos dávamos gargalhadas. A família gostava muito de mim.

— Christiane, fale mais de Berlim.

As pessoas ricas muitas vezes ficam entediadas mortalmente.

— Conte alguma coisa bem louca.

Não era a primeira vez que tinham um convidado vivendo com eles como se estivesse em casa. Nos anos da primavera de Praga, o caçula, Philipp, ainda bem pequeno, tinha que dormir na banheira porque os pais recebiam um monte de refugiados tchecos. Autores dissidentes. Jakob, o mais velho, cujo apelido era Köbi, acabava de fazer 18 anos e tinha deixado a casa dos pais: herdei o quarto dele. Além de nós, havia também a empregada da casa, Carmelina, italiana e melhor como pessoa do que como cozinheira. Tinha mais ou menos 45 anos e, de fato, não cozinhava bem, mas era alegre e tinha bom coração. Praticamente fazia parte da família.

Anna tinha nascido em Chemnitz. Casou-se com Daniel nos anos 1960 e deixou a cidade antes de se formar na RDA. Havia fotos dela com cerca de 20 anos no seu Fusca, cheio de esboços de desenhos no banco traseiro. Radiante, era realmente muito bonitinha. Quando me mostrou as fotos, contou que, depois de uma briga com Daniel, tinha pegado o Fusca e ido embora. Só voltaram a se encontrar graças ao amor comum pela pintura.

Como artista, ele não era brilhante, e por isso acabou se consagrando aos que lhe pareciam mais favorecidos. Mas era imbatível em se tratando de descobrir talentos. Anna, pelo contrário, tinha grande competência, mas sabia que precisava manter isto em segredo se quisesse continuar com Daniel. No início, tiveram brigas violentas, a ponto de um dia ter feito as malas e pegado a estrada para Milão com seu Fusca, para se dedicar à pintura. Mas ele foi buscá-la, jurou amor e respeito por sua vocação. Foi quando se casaram.

As brigas chegavam a ser comoventes. Um dia vi Daniel, furioso, retalhar um vestido de Anna. Ele estava sentado na cama, de tesoura em punho e cortando em pedaços a roupa, resfolegante e resmungando.

Era uma maneira de exprimir a raiva se mantendo calmo. Pois no fundo era um sujeito tranquilo. Um homem curioso, que preferia ouvir a falar. Um homem a quem se pode contar uma história por horas. Para mim, era perfeito! Quando começo... Falar, falar, falar é minha melhor terapia.

Muitas vezes ele ficava sentado e ouvia, fumando um charuto. De certa maneira, se identificava um pouco comigo: tinha fracassado como pintor e escritor, e eu como cantora e atriz. Havia abandonado a escola e seguido uma formação em livraria, exatamente como eu. Logo na primeira vez que nos encontramos, ele disse:

— Uma livreira que largou os estudos tem o direito de dormir na minha casa. Fiz o mesmo.

Tínhamos um bom entendimento. Sentia-me mais próxima de Anna, mas respeitava muito Daniel. Por exemplo, não o abraçava nem o beijava quando ia me deitar. Achava não ser apropriado. Foi o primeiro pai de verdade que tive.

No fim de semana, geralmente, ele se retirava com montanhas de livros na residência que tinham alugado, além da casa da velha senhora. Era onde passava mais tempo quando queria ter calma.

Eu frequentemente via um amigo da família, um homem que estava então muito doente e tomava uma enorme quantidade de remédios para dor. Falo dele porque o olhava muitas vezes com inveja: se tivesse acesso à sua farmácia, não conseguiria me controlar. Isso não parece lá muito cristão, mas, na época, tinha inveja por causa de todos aqueles analgésicos que tornavam para ele a dor suportável.

Anna, que possuía como refúgio um ateliê na Hottingerstraße, com quarto e banheiro, se tornou para mim, ao mesmo tempo, a melhor amiga e uma mãe substituta. Era quem me abraçava e consolava quando eu tinha desilusões amorosas, se esforçava para que me alimentasse de maneira saudável e praticasse esportes. Ensinou-me a cozinhar e trocávamos roupas, com ela me emprestando seus escarpins caríssimos. Zurique é ótima para compras. No mais, é uma bela cidade, mas bem entediante.

As pessoas são gentis e frequentemente esnobes. Ai de você se fizer sinal para um táxi comendo um *bürli* (um pãozinho suíço): nenhum vai parar. Após três semanas em Zurique, me sentia como em Kaltenkirchen: não aguentava mais a cidade. Não tinha o que fazer, à meia-noite tudo estava fechado. Não se pode nem mesmo improvisar uma ida a um restaurante, ninguém é aceito sem ter feito reserva. E é uma coisa que não consigo fazer, não sei com dois dias de antecedência se vou ter fome no sábado às sete e meia da noite. Prefiro comprar camarões na feira e preparar em casa quando me der vontade.

Por causa de tudo isso me distraía trabalhando para os Keel. Era uma espécie de assistente. Por exemplo, controlava as fichas para saber qual autor estava aniversariando, encomendava flores e mandava entregar. Regularmente comprava coisas também para a editora, para o escritório de Daniel em casa, para o ateliê de Anna e para os jantares que eles davam.

Duas ou três vezes por semana havia jantares, aos quais eram convidados autores e pintores. Conheci Federico Fellini, Georges Simenon, Patrick Süskind, Patricia Highsmith. Ao lado da esposa loura e bonita, Daniel parecia velho, mesmo que muitas vezes fosse mais moço do que os convidados — com exceção de Süskind, é claro. Na época em que morei com os Keel, *O perfume* era um enorme sucesso.

Podia-se até achar que era um romance feito para mim. Meu livro começava com o cheiro de urina de Gropiusstadt. De maneira geral há muitos odores na minha vida. Mas não gostei nem um pouco de *O perfume*. Achava Jean-Baptiste Grenouille repugnante e não entendia o seu universo. Se tem uma coisa que não suporto são os cheiros corporais. Alguém que mata as pessoas para conservar seu cheiro, realmente não deve ser bom da cabeça. Esse tipo de coisa está além do meu entendimento. É como a violência e a vontade de matar.

Mas isso não incomodou Süskind. Era um sujeito mais reservado. E minha opinião não tinha a menor importância. Milhões de leitores pensavam de outra forma.

Os pratos costumavam ser simples nos Keel: espaguete à bolonhesa ou peixe, por exemplo. O único luxo eram as boas garrafas de Bordeaux na mesa — e tinham recebido-as de presente, brincava Daniel. Não estavam ali representando um papel, mesmo que as noitadas fossem frequentemente bem teatrais.

São boas lembranças, mesmo que nós, "as crianças", Philipp, Jakob e eu, não gostássemos muito daqueles jantares. Como bastava que um de nós estivesse presente, a gente se revezava na maioria das vezes. E se não resolvíamos quem se sacrificaria, decidia-se no palitinho. Uma noite em que fui sorteada, acabei sentada à esquerda de Friedrich Dürrenmat. Sua segunda mulher, mais nova que ele, estava à direita. O homem sentado à esquerda de uma mulher é o seu cavalheiro, segundo a regra. Anna que me ensinou. Gostava muito de Dürrenmatt, mas não de seus livros.

Talvez porque na escola nos obrigavam a analisar e comentar, para ver se tínhamos entendido "da maneira certa", e eu achava isso muito chato. Por que as pessoas não podem dizer espontaneamente o que pensam? É evidente que não fiz diretamente a pergunta a Dürrenmatt, mas observei que a literatura, como tantas coisas, é uma questão de gosto. Lembro-me da fala de uma editora num filme: "Você pode criticar a personalidade de um escritor, e ele dirá que é capaz de mudar. Mas não se meta com o trabalho dele."

O célebre Dürrenmatt não estava habituado a tais insolências. Quando me ouviu dizer que *O juiz e seu carrasco* tinha sido tedioso para mim, ele mordeu os lábios, limpou a garganta e ajeitou os pesados óculos no nariz.

Anna e Daniel sorriram, eu vi. Algum tempo depois eles deixaram em cima do meu travesseiro *Minotaurus*, como faziam toda vez com as novas publicações de seus autores. Nesse livro, o monstro com cabeça de touro e devorador de crianças era um pobre coitado, completamente sem rumo. Na época eu não tinha ainda ido à Grécia, nada sabia sobre Ariadne e Naxos. Mas o minotauro de Dürrenmatt não me interessou muito.

Os meninos Keel e eu o chamávamos "vovô Dürrenmatt", porque tinha os cabelos brancos, nariz e barriga grandes, além de muitas outras histórias para contar, e elas animavam aquelas noites e nos faziam rir.

Por outro lado, não suportava a mulher dele. Achava ter compreendido por que ela estava com ele. Não sei se finalmente ela herdou tudo. Mas quem não for tão imbecil, vai até o fim. Se não me engano, ela própria escreveu um livro sobre a sua vida com Dürrenmatt. Suas maneiras claramente irritavam Patricia Highsmith, que também tinha contrato com a Diogenes. Como escritora, tivera um sucesso mundial com *Pacto sinistro* e *O talentoso Mr. Ripley*, a história de um arrivista que toma a identidade alheia e se introduz na alta sociedade, avançando por cima de cadáveres.

Patricia vinha do Texas, fumava como uma chaminé, e eu gostava de suas maneiras meio rudes. Mas não era recíproco. No entanto, ela apreciava menos ainda a mulher de Dürrenmatt e jogava coisas na cara dela — verbalmente, é claro — cada vez que a outra falava dela: tudo que fazia, tudo que sabia fazer, que era atriz, que estava em plena crise de inspiração. E que também esquiava maravilhosamente.

Mais tarde Anna me contou que Dürrenmatt havia conhecido a segunda esposa logo depois da morte da primeira, com quem vivera por quarenta anos. Quando os vi, estavam juntos há apenas um ano. Talvez ela o ajudasse a superar o luto. Anos mais tarde, um amigo a quem falei desses encontros me mostrou um artigo do jornal *Zeit* cujo título era: "As viúvas de escritor, a salmonela do mundo literário." Mas vamos deixar isso para lá.

Com minha cara de pau berlinense, os outros gostavam de mim:

— Ei! Tenho seis garfos à minha frente! O que faço com isso?

Riam de dar gosto, sem acreditar que eu estava falando sério.

Um dia, estávamos no Kronenhalle, o restaurante mais caro e, segundo os Keel, o mais chique de Zurique.

Era um ponto de encontro de atores, artistas e escritores. Yves Saint Laurent, Oscar Kokoschka, Andy Warhol, Max Frisch e outros, todo mundo aparecia por lá.

Eu tinha, em todo caso, um prato vazio à minha frente e, acima, um original de Picasso. Picasso, simplesmente.

— Picasso, tudo bem, mas e o rango, cadê? — reclamei.

E aquela burguesada de Zurique ria discretamente, mas sou assim mesmo: primeiro falo, depois penso.

Aquele ambiente, porém, de fato não era o meu. Ficou claro para todos nós. Artistas, escritores, banqueiros e relojeiros, havia um mútuo respeito, é claro, mas, ao contrário de muita gente, encontrar pessoas ricas nunca fez a minha cabeça. Não gosto desse lado polido e distante com que tratam os outros. Como se aproximar quando se perde tempo com tratamentos cerimoniosos, apertos de mão e nunca um abraço?

Óbvio que não eram amigos, e sim sócios, empregados, pessoas entre as quais há sempre um contrato a se negociar. Respeito muito, era bem engraçado e sou grata por ter podido viver tudo aquilo. Mas era a vida de Anna e Daniel, não a minha.

Loriot era bastante amigo de Daniel Keel. Tinha pouca paciência com aquela gente de Zurique, exatamente como eu. Não que não gostássemos, mas nós, alemães, somos mais rápidos pensando, ou pelo menos mais rápidos falando do que os suíços. Durante um passeio organizado para os escritores a Sils-Maria, também fomos mais rápidos andando.

Lá, Anna, Daniel, os dois filhos e eu encontramos o escritor Urs Widmer. Andamos 1,5 quilômetro até a casa dele e comemos salsichas e rosti à frente da lareira. Caloroso e agradável. De dar sono. Minha cabeça tinha rodado o dia inteiro por causa da altitude, estava morta de frio e achando tudo meio chato. Não queria sair dali e voltar para o hotel.

Então, Loriot chegou e fizemos juntos o caminho de volta. Já tínhamos nos visto uma vez, na ópera de Zurique, mas ele estava totalmente concentrado na música, e eu, bebendo champanhe demais, ou seja, tínhamos conversado muito pouco. Mas ali caminhávamos diante dos outros com a neve empilhada a 3 ou 4 metros de altura à direita e à esquerda. E mergulhamos numa conversa, esquecendo dores de cabeça e frio. O mais engraçado é que não se via, na expressão do rosto, que estava brincando. Gosto muito desse tipo de humor malicioso, e Loriot tinha maneiras divertidas e, ao mesmo tempo, tocantes. Seu senso de observação e humor despiam sem dó nem piedade o lado mais feio das pessoas, mas sem nunca ferir.

Naquele dia, nas montanhas de Sils-Maria, seu estado de espírito nem estava tanto para brincadeiras. Falamos do mundo das edições, mas também do tragicômico da existência. Confessei estar mais interessada nos analgésicos de um amigo dos Keel do que em seu sofrimento. E acho que Loriot podia compreender isso.

Não julgava, apenas pensava em voz alta, dizendo que as pessoas só conseguem criar laços com as coisas fazendo-o com o seu contrário. Que é mais fácil se confrontar com os assuntos graves e negativos brincando do que falando sério. E também que nos sentimos mais vivos na presença de coisas mortalmente perigosas. Quando disse isso, me lembrei de Hector Coggins.

Loriot me disse também o quanto era difícil para ele ser criticado sem o menor escrúpulo pela crônica mundana. *Berliner Zeitung* e *Bild* só apontavam defeitos nele.

— Sabe, Christiane, você não pode levar muito a sério o que a imprensa escreve a seu respeito. Deve colocar uma distância entre o seu trabalho e a sua vida.

Na época, entretanto, pensei: comigo é sempre da minha pessoa que se trata, de Christiane F., não tenho trabalho algum. Felizmente não tenho mais. Não tenho mais o "trabalho" que me tornou famosa anos antes.

Daniel Keel muitas vezes convidava seus autores a excursões como aquela para falar de trabalho. Entendi ali que as pessoas do mundo literário gostam e cultuam o lado prazeroso das coisas. Não só a imaginação, mas também a boa comida, os vinhos raros e os charutos. Em Sils-Maria, ficamos num hotel de outra era. Escolhê-lo era típico dos Keel. Não quiseram nenhum palácio chamativo, mas um hotel de elegância discreta, em que David Bowie já tinha se hospedado.

À primeira vista, o Waldhaus parecia bem simples. Mas era enganosa essa primeira impressão. Havia alguns candelabros no hall e em alguns cômodos. O "luxo" não estava em suítes com jacuzzi nem em pequenas colheres de ouro. Serviço excelente, amável e, principalmente, a lentidão do tempo, era o maior luxo que se podia encontrar nos dias de hoje.

No Waldhaus, os móveis eram bem simples, em madeira escura, bancos compridos estofados de cinza, azul-escuro e marrom. Muitos cômodos decorados com madeira e havia uma biblioteca com uma mesa para jogar xadrez. Os homens a usavam para tomar chá e fumar charutos. No geral, as formas e as cores eram sóbrias. Achei ser estilo Biedermeier, mas Loriot explicou que era a belle époque típica da nova fortuna industrial da grande burguesia por volta de 1900.

No subsolo do hotel havia uma piscina, onde Philipp e eu nadamos uma vez, sozinhos.

Oficialmente eu era a babá da família Keel. Só que Philipp tinha somente seis anos a menos que eu, e Jakob já estava crescidinho. Quem precisava de uma babá nesse caso?

Na verdade, cuidava dos convidados mais do que dos meninos. Organizava as chegadas, as partidas, os transportes. Quem estava precisando de alguma coisa? Descanso, flores, remédios? Fui um office boy para a editora e organizei as viagens como secretária. Gostei muito disso, pois não podia passar o dia sentada, só de conversa. Precisava me ocupar!

Com o tempo, acho que, como pais, os Keel esperavam também que eu mostrasse aos meninos a sorte que tinham.

Eles detestavam o lado decadente da sociedade e comigo se sentiam um pouco mais com os pés no chão. Deu mais certo com

Jakob. Espero que Philipp não se chateie comigo se eu disser que já era um *loser* com tendências consumistas. Seu maior interesse era o fliperama.

Posso ter todos os defeitos, mas não a cobiça. Nunca tive problema em minha relação com o dinheiro. A melhor prova é que vivo até hoje dos direitos autorais ganhos há 35 anos com meu livro. É claro, houve entradas regulares de dinheiro, com o filme, por exemplo: quando saiu em Blu-Ray, ganhei de novo uma boa soma. Mas sempre apliquei o dinheiro em seguros e em planos de poupança habitacional. E até estar familiarizada com isso, procurei agentes financeiros.

Sempre fui assim, e os Keel notaram. Quando íamos juntos ao museu ou ao teatro, eu frequentemente usava roupas ou joias de Anna. Ela que oferecia, nunca pedi nem quis ostentar. Não é importante para mim, queria apenas me adaptar um pouco, nada mais. Quando saíamos com Loriot ou Fellini, eu também não podia chegar de jeans e cinto com pregos. Mas ninguém pode dizer que me pegou em flagrante delito de estupidez, em época alguma.

É claro que os Keel bem que gostariam que eu publicasse outro livro pela editora deles, mas não era a única coisa que esperavam de mim. Uma vez, Kai Hermann foi me visitar na Suíça, e Heiko Gebhardt, seu colega na *Stern*, também. Kai esteve comigo por uns dias. Deve ter notado que eu voltara seriamente ao consumo de heroína. Os dois perderam toda a vontade de trabalhar comigo. Estavam cheios. Mas para os Keel não era tão importante que o livro não tivesse continuação. Nunca me deram a sensação de que eu deixava de interessá-los por isso. Eu não seria autora da Diogenes e, mesmo assim, continuaram a me hospedar em casa.

Voltei à heroína. O problema não eram os Keel, era eu mesma. Não sei por quê, mas sempre fui imbecil o bastante para voltar a mergulhar de cabeça. Pelo menos uma vez poderia ter aproveitado a sorte que tinha, mas aquela merda sempre estragou tudo.

Köbi não fumava maconha, mas um amigo dele tinha haxixe dos bons. Era garçom no Kronhalle e nos lançava olhares cúmplices quando estávamos à mesa com os Keel, pai e mãe. O que unia os dois rapazes era a história mais ou menos similar que tinham. O amigo de Köbi vinha de uma tradição de relojoeiros, mas o negócio familiar não o interessava. Nenhum dos dois queria seguir os passos de seus pais.

Foi Philipp quem afinal assumiu esse papel. É escritor, escultor e pintor, além de dono da empresa. Li recentemente que, desde que foi fundada, a editora lançou no mercado mais de duzentos milhões de exemplares!

Köbi permanece afastado dos negócios no dia a dia, mas tem cadeira no conselho administrativo. Acabou também seguindo um pouco os passos do pai.

Daquele amigo que era garçom eu gostava muito. Às vezes nos víamos sem que os outros soubessem, fumávamos, experimentávamos vestidos e escarpins. Realmente nos divertimos muito!

Na verdade, nunca parei com a heroína. Quer dizer, no início sim. Nos três primeiros meses em Zurique. Uma vez, Philipp me surpreendeu na cozinha devorando quilos de queijo *appenzeller*: era minha compensação, apenas transferia a fissura.

Mas, assim que voltei a Berlim, o queijo já não parecia tão bom, e a heroína, sim. Nos três anos que passei na Suíça, entre 1982 e 1985, voltei regularmente para cuidar do meu apartamento em Neukölln e pôr em dia a correspondência que chegava. Além disso, estava a fim de um cara que funcionava à base de *speed* no "reduto" berlinense. Era um inglês, Greg, que eu tinha conhecido uns seis meses depois do final da relação com Alex.

Não sei mais o que tanto via nele, mas estava louca pelo cara. Chegara a Berlim com o pai, um músico que já era drogado, e ele seguiu os seus passos. Que eu saiba, a família está limpa hoje em dia. Diga-se que o *speed* não é como a heroína. Prende como a cocaína, mas é fácil largar.

Cheguei até a convidar Greg a Zurique. Anna pagou tudo, para que eu me sentisse melhor. No seu lugar, teria feito o mesmo. Os Keel preferiam me ter por perto a me deixar andando sem saber por onde, com um estranho, às voltas com drogas desconhecidas. Como pais de verdade. Eu era a filha pródiga.

Felizmente, Daniel nunca soube dessas coisas. Não sabia que eu frequentava o reduto de Zurique. Mas, para mim, não podia ser de outra forma: Zurique era uma cidade pequena e nela, no entanto, circulava muita droga. E um *junkie* percebe isso de imediato. Então, é claro, precisei ver isso de perto. Em qualquer cidade, é na estação que se encontram os viciados. Não foi difícil achar o parque Platzspitz, perto da estação. Um lugar inacreditável.

Nunca tinha visto coisa assim: no Platzspitz tudo se passava às claras. Bem no meio do parque, havia um pavilhão em que as pessoas acampavam o ano inteiro. Tinham armado mesas com colheres em cima e vendiam o bagulho.

— Tenho da escura, quem quer juntar um pouco da branca?

Tudo isso em suíço-alemão, é claro.

Não sei se ainda é assim, conto a lembrança que guardei: as pessoas se serviam em público, como se fosse um estande de salsichas. Picavam-se ali mesmo, com centenas de pessoas rolando no chão. Muitas tinham o corpo coberto de feridas, outras pareciam mortas.

Eram milhões de seringas jogadas fora de qualquer jeito. Parecia um lixão. Fazer tudo isso sem ameaça de ser preso eu nunca tinha visto. Às vezes, Anna nem sabia se eu estava ou não em Zurique. Dormia num lugar ou noutro, na casa de pessoas. Depois, no segundo ano, ela começou a querer se informar melhor:

— O que você tanto faz no Platzspitz?

— Venha comigo que irá saber — respondi. — Zurique também tem sua estação do Zoo.

Pegamos o carrinho dela, um pequeno Honda Civic, e fomos. Estacionamos longe do parque, para que uma multa pudesse eventualmente banir a nossa vida. Mas, assim que paramos, uns guardas vieram, querendo revistar nossas bolsas e ver carteiras de identidade. Com quase dois mil *junkies* no pedaço, a polícia circulava em volta, limitando-se a controles de rotina. Anna ficou com medo:

— Se Daniel souber disso!

E acabou nunca indo ver o Platzspitz, mas contei tudo que perdeu. Ficou chocada, fez um monte de perguntas, inclusive sobre o meu passado. De repente, vi que estava chorando. Tudo aquilo mexia muito com ela. A partir daí comecei a ser mais prudente com relação ao que contava.

Um dia, Anna leu alguma coisa numa revista sobre certa senhora Miller e achou que poderia ser a solução para os meus problemas. A pessoa em questão praticava hipnotismo, e o artigo dizia que graças a isso um cliente fizera uma operação no joelho sem anestesia. A terapia da senhora Miller liquidava qualquer sofrimento, inclusive psíquico.

— Veja só, não acha que pode ajudar? — perguntou Anna, marcando consulta para dez sessões.

Cada uma custava 500 francos suíços. Um assalto, pois a senhora Miller apenas me deixou sentada em diferentes cadeiras de massagem eletrônica, repetindo como um disco arranhado:

— Você agora está muito calma. Seu corpo e espírito estão relaxando.

Era legal, agradável e eu podia cochilar. Mas não adiantava muito. Pelo contrário: tentava imaginar como seria aquilo sob o efeito da heroína. O fato de os Keel se ocuparem de mim de forma tão gentil devia ter a ver com os seus próprios conflitos. Nas minhas últimas visitas, Anna não pôde mais me dar muita atenção. Talvez não quisesse, talvez minha presença tivesse se tornado pesada demais para ela.

Fui morar no apartamento de uma conhecida de Anna, e Daniel nem sabia que eu estava na Suíça. Depois de ter ido uma vez sem nem procurá-los, percebi que não queria voltar para a casa deles. Tinham seus próprios problemas e não precisavam de uma Christiane F. a mais. Anna jamais teria dito, mas eu me tornara um fardo.

Uma feira estranha

Com tábuas podres e carrinhos de bagagem roubados da estação ali perto, improvisavam-se estandes de venda com colheres expostas, que serviam para ferver as misturas.

— Coca, coca, coca da boa!

Como se fosse a feira livre da semana. Outros vendedores alardeavam aos berros a qualidade da sua "marrom", ou ácidos, uísque, cerveja.

Centenas de drogados — Drögeler, *como diziam os moradores de Zurique — se juntavam nesse parque, que certos dias chegava a reunir três mil deles.*

Estavam sentados num tapete de seringas, entre as flores e por trás de arbustos, aplicando doses nos braços e nas pernas às vistas dos passantes curiosos. Alguns arrancavam as roupas, procurando uma veia intacta no corpo infestado de feridas purulentas. Mesmo no inverno. Picavam-se na virilha ou no pescoço, com as outras veias já inflamadas. Corpos semidespidos ficavam jogados no gramado — azuis de frio, alguns já mortos.

A apenas dez minutos a pé da movimentada rua da estação, no estreito passeio entre o Museu Nacional Suíço e o ponto exato em que o Sihl desagua no Limmat, esse era o cenário macabro do maior e mais escancarado ponto de droga da Europa. No final da década de 1980, o parque do Platzspitz se tornou o ponto de encontro de viciados expulsos de outros lugares. Por muito tempo tolerados pela polícia e pelos políticos, os drogados vinham de toda a Suíça e do exterior. A maioria vivia na pobreza e financiava o vício com roubos ou prostituição. Na margem dos rios, várias pequenas comunidades foram construídas com caixas e coisas jogadas fora, pois a maior parte dos viciados não contava com abrigos na época. As habitações provisórias eram regularmente derrubadas pela polícia, mas as autoridades começaram a temer que o Platzspitz acabasse se tornando uma área marginal livre.

O reduto foi se tornando mais violento na medida em que a cocaína substituiu a heroína no mercado.

Pedestres eram atacados e roubados, cadáveres de drogados desciam rio abaixo. Numa briga entre drogados por um cobertor ou por um pedaço de chocolate, por exemplo, houve quem fosse amarrado, amordaçado e afogado.

Na saída que levava ao cais do Sihl começava a "rua do Haxixe", de venda de maconha. Uns preparavam misturas, outros faziam a ponte com os fornecedores ou procuravam atrair a clientela. Bandos de traficantes vindos de países arrasados pela guerra civil organizavam e controlavam com violência o comércio. No outro extremo da cadeia comercial, havia os Filterlifixer *— pessoas que tinham chegado ao ponto de trocar seringas, agulhas e outros acessórios por filtros de cigarro anteriormente usados para filtrar a droga no momento de encher a seringa.*

Extraíam restos de substâncias para uso próprio — incluindo-se o HIV e a hepatite C.

A partir do final da tarde, o reduto se tornava palco para uma multidão de fantasmas ao redor do Rondell, um pavilhão iluminado no meio do parque. Alguns drogados perambulavam aos tropeções, outros jaziam alucinados no gramado ou vomitavam nas moitas. Os gritos da feira eram ouvidos até o amanhecer. Em seguida, a polícia esvaziava o pavilhão para que os jardineiros pudessem jogar o lixo à noite no Sihl.

No final dos anos 1980, essas tristes cenas foram manchete na imprensa internacional, e o Platzspitz, no centro da rica Zurique, ganhou uma horrível reputação (era chamado Needle Park*). Foi então criado o Zipp, um projeto municipal de intervenção contra a AIDS. Nos antigos banheiros do parque, médicos, atendentes, assistentes sociais e voluntários distribuíam seringas limpas, compressas e pomadas cicatrizantes. Três ou quatro vezes por dia* Drögeler *desacordados reanimavam, tratavam das feridas e aplicavam testes de HIV.*

Trocavam num dia até quinze mil seringas usadas por novas, davam conselhos sobre tratamentos com metadona, informavam sobre as ajudas sociais e programas de desintoxicação. Outras organizações forneciam refeições quentes e bebidas. Foi como aqueles homens e mulheres tentaram conter o vício e as doenças.

Overdoses, infecções, AIDS e hepatites: o consumo de drogas se tornou a primeira causa de mortes para pessoas de certa faixa etária. Zurique tinha o percentual de portadores de HIV mais elevado da Europa. Para resolver o problema, alguns políticos pediram a legalização controlada da heroína, outros exigiam a internação e desintoxicação forçada dos Drögeler*. Especialistas e pessoas que trabalhavam no local eram contra a coerção e a repressão em Platzspitz. Para eles, é justamente tendo um ponto central que se pode controlar melhor e ajudar os toxicômanos.*

Mas o prefeito via de forma diferente o problema e, em 5 de fevereiro de 1992, ordenou uma blitz e a limpeza do parque. Com cassetetes, jatos de água e tiros de borracha, a polícia lavou Platzspitz dos seus lixos, fedores e cadáveres — espalhando toda a sua fauna desvairada pelo centro da cidade.

A expulsão dos viciados do parque teve como resultado a concentração deles na estação desativada de Letten. A miséria ali se alastrou a tal ponto que mesmo a população não drogada entrou em desespero — em pouco tempo os moradores daquela área, voltando para casa, passavam por seringas e excrementos, lixo e urina. As mulheres eram assediadas por clientes das prostitutas e as crianças foram transformadas em "avião" para o transporte da droga.

No verão de 1994, a área da estação de Letten estava tão deteriorada que o serviço de higiene pública precisou ser acionado para eliminar ratos, vespas e lixo. A situação parecia escapar do controle da polícia: em um ano, houve interrupção no acesso às celas de detenção por falta de espaço. E, no entanto, essas celas eram famosas pela superlotação, recebendo às vezes o dobro do número previsto de presos. Traficantes e usuários desafiavam os políticos e a polícia. A violência cresceu: no maior reduto europeu de drogas, uma guerra de gangues explodiu entre libaneses, albaneses do Kosovo e norte-africanos em disputa pelo mercado. Zurique precisou pedir ajuda à cidade de Berna. Moradores e empresas reforçaram portas e janelas. Chegou-se inclusive a debater seriamente sobre uma possível intervenção do exército.

O governo suíço declarou ser problema nacional a situação da área de Letten e aplicou fortes medidas preventivas no país inteiro, devolvendo consumidores a seus locais de origem e abrindo centros de consumo de droga.

Repressão, prevenção, terapia e primeiros socorros foram as quatro bases da política que se estabeleceu e que amplamente contribuiu para o fechamento da área de Letten, em fevereiro de 1995. Isso representou uma reviravolta na situação da droga e uma melhoria da qualidade de vida em Zurique.

Apenas em junho de 1993 o Platzspitz foi reaberto ao público. Controles policiais e fechamento dos locais às nove da noite deveriam impedir o renascimento do reduto da droga. A situação em Zurique desde então mudou muito. Não há mais reduto aberto, a criminalidade ligada às drogas diminuiu e os viciados têm condições menos miseráveis.

Dez anos depois do fechamento de Letten, Zurique fez um balanço: as iniciativas restritivas haviam passado no teste, mas era preciso dar continuidade às melhorias da política antidroga. Ela se concentrara tanto na luta contra o reduto aberto que as demais evoluções foram praticamente deixadas de lado. A cidade hesitara demais no concernente à prevenção de eventos em que circulavam drogas. E tinha quase que abandonado nas mãos da justiça o tratamento da utilização de maconha.

A partir de 1995, o consumo de heroína recuou muito. A frequência em cada um dos quatro centros da cidade atingiu uma média que oscilava entre cinquenta e cem toxicômanos por dia. Os 1.500 lugares oferecidos pelos programas abordando a heroína e a metadona foram todos ocupados e o número de seringas distribuídas por dia caiu de quinze mil para 1.500.

Mas a queda do consumo de heroína não significou uma menor quantidade de droga circulando. Nesse meio-tempo, a circulação de cocaína se tornou a mais importante dentre as drogas pesadas, inclusive ultrapassando o álcool e a cânabis.

Zurique não sonha com uma sociedade ideal sem drogas, mas com um reduto que seja tolerável pela cidade.

Em comparação com a época da liquidação do Platzspitz, hoje não há menos consumidores de droga. Mas o comportamento dos usuários, o acesso facilitado e a natureza das drogas, em contrapartida, mudou muito.

A polícia estima em cinco mil o número de viciados em drogas pesadas na cidade. Muitos dos usuários de heroína se integraram e não chamam mais atenção. A miséria característica do reduto aberto praticamente desapareceu.

Os programas de substituição, os centros de consumo e a assistência social de apoio aos toxicômanos idosos melhorou consideravelmente a situação sanitária e a integração das pessoas envolvidas.

S.V.

5

Plötzensee, prisão feminina

Setembro de 1985. A polícia de Berlim me flagrou com cinco gramas de heroína e me prendeu. Aparentemente a casa do traficante estava sendo vigiada. O fato é que fui pega logo depois. É incrível como os caras sabem jogar você no chão. Muito brutos. Ainda mais se levarmos em consideração que a maior parte dos *junkies* é só pele e osso.

Para que tanta brutalidade? Comigo nem exageraram tanto, por ser mulher e saber me defender. Mas fico louca vendo como tratam os viciados.

O que também é horrível são as celas de detenção provisória. Em alemão se abrevia como "GeSa". São miseráveis, ladrilhos velhos e mofados, camas de madeira suspensas por correntes de ferro na parede. Um fedor tremendo de gente que não se lava. Ninguém merece o inferno da GeSa. Você entra e jogam no piso seu colchão e uma coberta de cavalo que não se sabe quando foi lavada pela última vez.

No fundo da cela tem poças, porque nem todo mundo tem vontade ou disciplina para mijar numa vasilha. Então fede também a mijo. Tentei me abstrair de tudo isso e esperei o interrogatório.

O chefão da brigada de antitóxicos se chamava dr. Brecht. Já havia esbarrado no meu pai na primeira vez que me prendera e interrogara. Eu tinha 13 anos e não podia ser questionada diretamente, já que era menor. Um responsável legal precisava estar presente. Tinha sido presa em plena noite, na rua. Estava com LSD e haxixe, então me fizeram urinar num vidro. Na época, um exame positivo bastava para que te levassem em cana. Então me carregaram, se dizendo: ótimo! A menina vai se entregar.

Encheram-me de chocolate e de doce, como se também fossem do meio. Deram a impressão de saber exatamente como as coisas se passavam. Depois tiraram um fichário grande de dentro de uma gaveta velha e mostraram algumas fotos. Na época, eu ainda buscava afirmação, mas estava muito assustada e, é claro, entreguei tudo que queriam.

Mas, de repente, meu pai entrou. Não cumprimentou nem coisa alguma. Só disse que ia me levar e que nada que eu dissera tinha valor. E estava certo, tudo foi apagado. De qualquer maneira, ainda sou muito grata pelo que fez. Nem esperou que dessem permissão e foi entrando.

Dez anos depois, estava na mesma sala da brigada de antitóxicos e não tinha mais ninguém para vir me buscar. Mas nesse espaço de tempo, havia aprendido a maquiar a verdade a meu favor. Expliquei então à polícia que não tinha intenção de vender, havia assaltado um esconderijo para meu uso pessoal. Tinha visto dois árabes no parque de Hasenheide e entrei no depósito deles quando se foram.

Era algo que de fato eu já fizera, mas, naquele momento, não era verdade. Esperava ser acusada por porte de drogas e não por tráfico. Porém, meu advogado cometeu um erro. Deveria saber que quem me vendera a droga já estava ali para testemunhar contra mim.

Tive então que passar pelo tribunal e fui mandada de volta à cela nojenta da GeSa, na Gothaerstraße. Na manhã do dia seguinte, Brecht chegou, entrou na cela e disse:

— E aí, Christiane, como vai o seu pai, aquele cabeça-dura?

Nunca vou esquecer. Em seguida, se agachou ao lado do meu colchão e disse:

— E o que vai fazer agora, Christiane? Direto pra cadeia, é o vai acontecer.

— Que seja, se é o que quer.

— Já era tempo. Senão nunca vai aprender. Pequenos delinquentes como você sempre imaginam que são durões. Mas na prisão a realidade é outra, querida.

Não respondi. O processo foi rápido, é claro: não era o primeiro naquele ano. No mês de maio tinha sido flagrada com droga e condenada a pagar uma multa de 3 mil marcos. De novo na mesma situação, eu me perguntava: "Droga, por que não vão atrás de criminosos de verdade? Já é a segunda vez aqui e sou apenas uma viciada. Que idiotice!"

E foi assim que cheguei ao tribunal. Estava vestida como se fosse a sexta integrante dos Rolling Stones ou a noiva do roqueiro, com meu jeans rasgado e um casaco de couro branco com franjas. Entendo hoje que meu visual não ajudava muito. Com a cara que eu tinha, é claro que não podiam deixar de me trancar numa cela.

O veredito veio em poucas horas. Quando ouvi o juiz dizer que estava condenada a um ano de prisão, afundei no banco sem nem esperar que os outros se sentassem. Pensava: "Puta merda, mas que coisa! Meu vício não faz mal a ninguém, só a mim mesma. Puta merda, que diabo estão querendo?"

Mas, em seguida, o juiz propôs uma alternativa. Pelo menos isso. Eu podia fazer uma terapia. Mas não gosto de ser chantageada: prisão ou terapia? Comigo isso não funciona assim. Então fui para a prisão e ponto final.

Quando soube de tudo, Anna pirou. Eu nunca tinha vivido algo assim: na mesma hora ela pegou um avião e chegou da Suíça como louca. Enquanto isso, fui transferida para a prisão de Moabit. Ela foi me visitar e prometeu que me tiraria dali. E de fato, dois dias depois, os guardas me chamaram e fui solta.

Anna tinha conseguido comprar minha liberdade por 15 mil francos suíços — responsabilizando-se por mim e me fazendo seguir uma terapia em Zurique até o início oficial da detenção. Três meses depois, em 2 de janeiro de 1986, voltei à prisão. Durante esse período, estava proibida de ir a Berlim.

Anna então me levou para casa. E acreditou nas mentiras que contei, dizendo que as acusações da polícia eram falsas. Como ninguém me controlava tanto assim, rapidamente fiz meu amigo Greg ir para lá e nos picamos o tempo todo. E obviamente não fiz terapia nenhuma.

Quando fui me entregar à polícia, em janeiro de 1986, me esperavam na saída do avião. Absolutamente desnecessário! Fiquei superenvergonhada, com todos os passageiros vendo. Foi muito desagradável.

— Pra que isso? Estava indo me entregar! — reclamei.

Era 1º de janeiro e eu estava chegando um dia mais cedo para poder passar no meu apartamento.

Tinha algumas malas na casa dos Keel e, como não sabia o que ia acontecer depois da prisão, estava carregando tudo. Mas não me algemaram, só reviraram minha bagagem. Entre outras coisas, descobriram uma caixa de *sex toys*. Greg e eu tínhamos alguns consolos e algemas. Foi constrangedor. Para piorar as coisas, estava menstruada. Fui transportada algemada, voltei à GeSa, Gothaerstraβe e, mais uma vez, à salinha nojenta daquele mesmo dr. Brecht com sua perversa gentileza. Em primeiro lugar, revista geral: tiraram tudo! Como disse, estava menstruada e, como não me adapto com absorvente interno, usava externo.

Apesar disso, tive que ficar completamente nua e me agachar. Você é obrigada a se agachar, afastar as pernas e tossir. É como verificam se não tem algo escondido na vagina. As policiais insistiam:

— Tussa mais uma vez.

— Estão querendo que eu deixe uma poça de sangue no chão?

— Tussa mais uma vez, por favor!

— Chega! Isso é o quê? Não vou dar a vocês o prazer de ainda me ver lavar a sujeira.

E vesti minha calça. Uma das funcionárias riu. Não tinha parado, durante toda essa cena, de comer um sanduíche de patê.

Voltei para a cela nojenta da GeSa, esperando ser transferida. E o que aconteceu? O motorista do camburão era o pai de uma colega de escola da minha irmã. No passado, proibia que eu chegasse perto da filha, achando que podia ser má influência. E foi logo quem me levou para a prisão.

O reconhecimento foi imediato: aos 23 anos eu tinha a mesma cara que aos 15. Mas não nos cumprimentamos e fomos em silêncio por todo o caminho.

Em Plötzensee, não fui tão má. Não gosto de dar ordens, castigar, xingar e bater. Não como a Tollkühn. O nome já diz tudo: em alemão significa mais ou menos "temerária". Era o diabo em pessoa, como se lê nos livros. Anna Tollkühn. Grande, morena, compacta.

Machona, traços do rosto muito duros, pés enormes e cabelos encrespados que ela raspava de forma diferente a cada vez que voltava para a cadeia. E a cada vez aprendia uma língua nova, a começar pelo inglês e o espanhol. Era tão agressiva que a faziam entrar na cela antes de todo mundo. Daquela vez, estava aprendendo russo. Vivia tão tensa que tinha sempre os ombros retraídos, preparados para o ataque. Com frequência era presa por droga, agressão, homicídio voluntário e violência seguida de morte. Mesmo depois de sair da prisão, continuei por muito tempo com medo dela. Se por acaso a visse em Berlim, em qualquer lugar que fosse, saía de perto para que não viesse falar comigo. Com ela, resposta nenhuma era boa o bastante. No refeitório, a mesa número um era da Tollkühn e suas capangas, uma dúzia de mulheres do mesmo tipo. Faziam reinar o terror na prisão inteira.

A mesa número dois era a mais interessante. Juntavam-se ali as mais bonitas traficantes, receptadoras, prostitutas etc., das quais as chefonas esperavam algo: droga, tabaco, contato ou qualquer outra coisa.

Quem fosse obrigada a sentar na mesa três era a idiota de plantão. Era melhor nem sair da cela, ou estaria indo à enfermaria com mais frequência do que gostaria. Tollkühn e companhia não saíam do pé de quem se sentava ali. Não tinham limites, podiam esconder cacos de vidro na sua comida ou lhe enfiar uma faca. E não paravam de dar ordens, castigando com brutalidade qualquer desobediência.

Mas bem mais sutil era a violência psicológica. Mantinham o terror, ameaçavam seus filhos, seus homens, sua saúde. Provocavam vexames, humilhavam, iam te destruindo até que aceitasse fazer o que esperavam. Servir as chefas era questão de sobrevivência. Ou então era melhor que se matasse logo.

Entendi no primeiro dia qual era o meu lugar.

Entre as detentas, antes mesmo que eu pusesse o pé na prisão, já circulava o zum-zum-zum de que Christiane F. tinha sido presa. Não sei se era inveja ou se achavam que eu era perigosa. Minha chegada, em todo caso, representou uma ameaça para muitas. Por isso quiseram pôr as coisas às claras logo no primeiro dia, para que eu entendesse quem mandava ali. Enviaram no meu encontro uma grávida armada com uma pá. Era sórdido: de um lado, você não quer levar porrada, de outro, nada pode fazer para se defender sem pôr em risco a vida do bebê.

Eu acabava de sair da cela de isolamento. Em qualquer prisão começa-se pelo isolamento e pelo exame médico na enfermaria, para verificação de doenças contagiosas. Automaticamente são feitos testes de HIV e radiografia dos pulmões, para checar se a pessoa não é tuberculosa.

Eu gozava de plena saúde e estava preparando um chá naquele lugar em que ia passar dez meses da minha vida. Bem ao lado da entrada de cada corredor, havia uma pequena cozinha com dois fornos e oito placas elétricas de fogão, que podiam ser usados à tarde, até o anoitecer. Havia também geladeiras em que cada uma tinha sua gaveta para os próprios alimentos.

Era fim do dia e eu fervia minhas folhas de hortelã. De repente, ouvi um barulho atrás de mim e uma voz com sotaque russo:

— Mas o que é isso agora?

Uma mulherzinha de cara achatada, com pelos escuros no rosto, com um aspecto realmente ruim.

Achei que devia estar voltando de alguma atividade de trabalho na prisão, pois tinha uma pá numa mão e uma vassoura na outra. Toda suada e os cabelos louros, mas não tão claros, estavam grudentos de gordura. Tive vontade de rir com aquela calça bege que vestia, parecia um saco. Tinha o nariz achatado e o corpo extremamente atarracado, mas rapidamente percebi que ela não estava ali para brincadeira e não tinha o menor senso de humor.

Mesmo assim, não quis ser indelicada e deixei minha xícara e a chaleira, me aproximei e estendi a mão direita.

— Sou Christiane — quis me apresentar.

Mas bruscamente me dei conta de que ela sabia: jogou a vassoura no chão e ergueu a pá de forma ameaçadora. Eu estava ainda fora de alcance. O metal bateu com violência na parede, à esquerda da porta. Vidro blindado, superforte. Não se via o menor estilhaço, mas a pá teria feito mingau da minha cabeça se a tivesse acertado.

— Olga está grávida.

Era uma voz de mulher, que descobri depois ser Tollkühn. Não sabia o que tinham contra mim, não tive a menor oportunidade de pensar nisto e menos ainda de compreender.

Olga era da Bielorrússia, estava presa por delito de droga, agravado por agressão. Quando deu o segundo golpe com a pá, me esquivei. Na terceira tentativa ela lançou a arma: mal tive tempo de sair da frente e o objeto passou por cima da minha cabeça, batendo nas prateleiras da cozinha. Fez um estrondo enorme, com panelas e copos caindo no chão de cimento duro. Os guardas finalmente chegaram, por causa do barulho.

— Estávamos só arrumando as coisas — disse Olga, erguendo as mãos com ar inocente.

E foi embora.

Só então notei que tinha um bom arranhão na têmpora esquerda, mas era tudo. Evidentemente contei aos guardas o que havia acontecido. O que podiam fazer? Prender Olga?

O prédio que dá para o Friedrich-Olbricht-Damm se chama hoje JVA Charlottenburg e é uma prisão masculina. A administração judiciária e as presas tinham se mudado para aquele local um ano antes do meu encarceramento, que ocorreu em janeiro de 1986, e passaram da Lehrter Straβe para aquela que se dizia "a mais moderna e segura instituição carcerária feminina da Europa". Foi construída porque a prisão da Lehrter Straβe estava caindo aos pedaços. Além disso, muitas terroristas importantes tinham escapado do antigo presídio lá pela metade dos anos 1970 e por isso a nova construção, no meio de um imenso terreno de 40 mil metros quadrados no Friedrich-Olbricht-Damm. A prisão era protegida por um muro de 5 metros de altura, com cinco postos de vigilância em que ficavam policiais armados, com ampla visão geral.

Estava fora de cogitação fugir, nem Tollkühn conseguiria. Tinha capacidade para trezentas prisioneiras, mas a metade dos leitos estava sempre vazia. Eu dispunha de uma cela individual. Melhor assim, pois não queria me misturar, e sim ter um pouco de paz.

Mas não é tão fácil assim ter paz numa prisão, é preciso pagar por isso. E só consegui em troca de alguns gramas de heroína.

Uma amiga havia passado 50 gramas para dentro da prisão. A polícia conseguia tomar um avião das mãos de terroristas, mas não era capaz de revistar direito uma traficante conhecida. "Por favor, tussa!", como exigiam naquela merda de GeSa não servia para nada se você tivesse pacotes inteiros dentro da barriga. O amadorismo dos encarregados da prisão dessa amiga foi a minha sorte.

Cinquenta gramas é mais do que a ração mensal de um *junkie hard-core*. Mas atrás das grades você não pode estar desarvorado o tempo todo ou vão perceber logo. Por isso a fulana me passou quase a metade da heroína e fui esperta o bastante para escolher direitinho a quem redistribuir uma parte. Na prisão, quase todo mundo consumia drogas pesadas. Há pouco interesse por maconha ou álcool. São sobretudo dependentes da heroína e do crack, sem sequer saber o que é uma viagem de LSD ou ecstasy.

Quem faz tráfico de drogas precisa montar uma tática para distribuí-la de forma inteligente. Atrás das grades, nada de se arranjar sozinha. É morte certa.

Evidentemente, ofereci a Tollkühn. Quer dizer, não diretamente. Ou ela ia achar que eu estava querendo agradar e abusaria da situação.

Como quem não quer nada, contei à sua melhor amiga, uma mulherzinha da pior categoria que tinha sido presa várias vezes por roubo e agressão seguida de morte. Disse que tinha um material e que o distribuiria entre as detentas, antes que a vigilância o descobrisse. Pouco tempo depois ela me procurou, enviada por Tollkühn, e perguntou quanto eu queria por 1 grama.

Não me dispus a nenhuma generosidade. Não queria que ela achasse que ganharia o que fosse de graça.

Pedi 20 paus, que é pouco, mas na prisão ninguém tem muito dinheiro. Na verdade queria outra coisa: que dali em diante as loucas furiosas, armadas com uma pá, se comportassem melhor.

Deu certo. Minhas relações com Tollkühn não chegaram a ser simpáticas, mas passaram a algo parecido com o mútuo respeito.

Na cadeia, mais prisioneiros do que se imagina têm com que se picar. Mas a maioria acaba fumando ou cheirando. Não se pode negar, porém, que a tensão aumenta quando há droga circulando na prisão. É óbvio. As pessoas ficam com os nervos à flor da pele quando sentem a presença da droga. Houve brigas e chantagens. Alguém finalmente avisou aos guardas. Quase todo o material foi confiscado, exceto o meu, porque tinha ficado só com 2 gramas, que injetei imediatamente. Depois disso, não tinha mais nada a ver com aquilo.

Pelo menos oficialmente, para a administração. As prisioneiras sabiam, evidentemente, de onde vinha o bagulho, o que me garantia certo respeito por parte delas. No refeitório, passei para a mesa dois.

O trabalho na manutenção me ajudou também a não cair nos degraus mais baixos da hierarquia carcerária. Eu é que arrumava, lavava e distribuía a comida. Demorei certo tempo até me dar conta da função que tinha. Todo mundo me entregava coisas às escondidas — cartas, drogas, pequenos presentes, doces, tabaco. Era só transportar. Na maior parte do tempo, a destinatária estava sabendo onde a remetente tinha escondido o que interessava — por exemplo, debaixo do freio do carrinho, debaixo de uma xícara ou na comida. Eu não ia de cela em cela, passava de zona em zona empurrando o carrinho com os pratos. Ou então cada uma vinha buscar comigo seu bandejão na cozinha — e o que fora enviado.

Quando percebi a importância dessa situação, usei-a a meu favor sempre que necessário. Eventualmente podia dizer a uma ou a outra:

— Tome cuidado, querida, se não me deixar em paz não passo mais suas cartas adiante.

Mas, é claro, não estava sozinha nisso. As diferentes zonas eram separadas por portas trancadas e não se passava assim tão fácil de uma para outra. Tinha sempre um ou outro guarda para abrir.

De qualquer forma, era um cargo de confiança, porque entrávamos em contato com presas de outras zonas. Mas não se deve aceitar tudo. Por exemplo, me recusava a transmitir cartas das "separadas". As "separadas" eram mulheres presas pelo mesmo crime, mas mantidas distantes para que não pudessem se comunicar. Quando elas queriam me passar alguma encomenda, eu precisava me livrar dela, deixando que caísse do carrinho num esbarrão ou coisa assim. Se os guardas das chaves me pegassem, perderia a função e o respeito das colegas, pois fazer um favor a troco da própria cabeça era visto como sinal de incompetência. E os cães de guarda que abriam as celas não chegavam também a ser completos idiotas.

Na prisão, eu acordava pela manhã e nunca sabia exatamente como seria o dia. Contra a monotonia, havia sempre alguém que se virava para que algo excitante acontecesse. Uma briga, uma chegada de droga ou um suicídio. Nunca, em todo caso, as pessoas se entediavam.

No referente aos esconderijos e malocagens, eu era das melhores, mas isso chegou a me dar muito trabalho. Uma vez, pedi por telefone a Miriam que me enviasse um pouco de haxixe de Hamburgo. Quando o pacote finalmente chegou, uma ou duas semanas depois, achei que ia pirar de tanto procurar o bagulho. Comecei até a achar que Miriam tinha amarelado na hora do envio, pois nesse tipo de coisa o remetente também pode ter problemas com a justiça.

Mas continuei a procurar e, com minha colega Liane Mayer, desdobrei cada pedacinho de papel e desfiz meticulosamente cada embalagem. Miriam tinha colocado no embrulho caramelos Toffifee, chicletes, chá Earl Grey, um pacote de Marlboro e absorventes adesivos. Só depois de abrir o último maço de Marlboro, tirar e examinar cada cigarro, descobrimos: em quatro deles o tabaco tinha sido substituído por haxixe na ponta mais interna.

Num tempo normal, essa quantidade teria durado no máximo uma semana, mas em cana não era possível fumar quando dava vontade, e o bagulho durou dois meses. Com isso, fazer fumaça se tornava um momento especial, e Liane e eu esfregávamos as mãos desde cedo quando víamos que haveria possibilidade.

Além do mais, adorávamos nos sentir mais espertas do que os guardas, encontrando truques para que ninguém notasse que fumávamos. O haxixe é feito a partir do cânhamo: quando secas, as folhas são chamadas marijuana, maconha ou erva, fumadas como cigarro, enquanto o haxixe é extraído da resina, que é transformada em óleo ou imprensada para fazer blocos, chamados *shit* ou simplesmente pedra.

Pode-se esmigalhar para fazer um baseado ou fumar num narguilé. Nenhuma das duas possibilidades era discreta o suficiente para a prisão e por isso usávamos uma caneta. Colocávamos um pedacinho da pedra na cinza quente de um cigarro e a esferográfica sem o miolo servia para inspirar a fumaça.

Se não escondesse minhas reservas na cela, elas desapareceriam rapidinho. Também não guardava bagulho nenhum comigo, preferia malocar no caixilho de uma janela. Naquele tempo, vários corredores da prisão ainda estavam desocupados, pois o prédio era recente. Mas, de vez em quando, as alas vazias eram limpas. De quinze em quinze dias, com uma segunda faxineira que trabalhava comigo, eu lavava os corredores e tirava a poeira dos móveis de madeira compensada que ficavam nas celas não utilizadas. Os guardas não nos acompanhavam, simplesmente nos trancavam nas áreas a serem limpas. Com isso pude tranquilamente esconder minha droga.

Tínhamos direito de levar conosco um radinho. Eu o ligava e, assim que a colega estivesse de costas, abria uma das janelas, enfiava meu pacotinho de haxixe embaixo de uma junta de borracha e fechava de novo a janela.

Não sou uma pessoa com necessidade de possuir coisas, detesto gente assim. No entanto, era importante para mim saber que tinha alguma droga escondida onde só eu sabia. Isso me tranquilizava. E assim não pirava quando me impediam de fumar, mesmo que apenas cigarros. Podia ter paciência sem problema. Só que precisava saber que o bagulho estava ali me esperando.

Fabricávamos também nosso álcool. Desatarraxava-se uma placa de gesso do teto e as reservas ficavam escondidas lá em cima. Para a maceração, utilizavam-se garrafões de plástico vazios que eram enchidos com água, fermento de cozinha, fatias de maçã ou cerejas. Após uma semana, podia-se beber a mistura. Eu era a única que podia fornecer os garrafões, sendo faxineira.

E de repente houve Chernobyl. Achei que ia morrer. No entanto, lá dentro, quase nem fomos informadas. Às oito da noite as celas deviam ser fechadas, toque de silêncio. Eu tinha direito de circulação das seis da manhã às oito da noite, o que significava que, durante o dia, podia deixar minha cela e ir trabalhar ou praticar esporte. No fim de semana, isso se estendia até as dez da noite e, nos dias de sol, as mulheres tinham inclusive o direito de se bronzear no pátio. Quando ouvimos dizer que um acidente nuclear havia acontecido na Ucrânia, sem maiores precisões — não havia televisão nas celas, naquele tempo –, houve quem entrasse em pânico.

Imaginamos que o pessoal todo da carceragem ia dar no pé nos deixando ali, trancadas. O que iam fazer conosco? Com certeza não nos soltariam.

A agonia começou a reinar em Plötzensee, pois não sabíamos de nada. Poucos dias depois da catástrofe, eu deveria varrer lá fora, mas começou a chover e fiz greve:

— Não vou trabalhar debaixo de chuva radioativa. Não mereço uma pena dessas só por ter traficado um pouco.

Foi o que aleguei à direção do presídio. Tendo em vista a situação, não criaram caso. Com o salário que ganhava, comprei litros de leite. Meu dinheiro todo se foi nisso, pois diziam que sobretudo os legumes e o leite fresco estavam contaminados. Achei que o leite de caixa não corria risco, por causa da pasteurização. Anos depois soube que isso não era verdade. Resumindo, achei que estava sendo esperta e guardei vinte caixas na minha cela. Por duas semanas, fiz um regime à base de leite.

Mas o fim do mundo acabou não acontecendo, mesmo que por vários anos não se soubesse exatamente a gravidade daquela catástrofe. Não se comia mais nada e nem cogumelos se colhiam. A comida da prisão também se adaptou às medidas de segurança. Para nós foi uma surpresa. Achávamos que com aquela crise a sociedade iria aproveitar para se livrar dos indesejáveis, dando-nos comida contaminada.

Para beber, apenas café e chá. Não dava para pagar outra coisa. Havia Coca-Cola e *apfelschorle*, mas eram caros. Água da torneira era de graça, e o café solúvel e o chá eram bem baratos. Uma Coca custava 3 marcos. Quem não tivesse um trabalho na prisão, não tinha como pagar.

Raramente tive tão boa saúde — física e moral — quanto naqueles meses de prisão. A abstinência da heroína e da erva não foi difícil. Tudo ali era diferente.

As preocupações não eram as mesmas que se tinham do lado de fora. Não havia um professor gritando no seu ouvido às oito horas da manhã por você não estar acordada e precisar das duas mãos para apoiar a cabeça. As pessoas não se limitavam aos erros que cometiam, porque esses erros eram o motivo de estarmos ali. Em cana você não precisava tomar o café da manhã sozinha porque os seus pais não tinham tempo para isso, não precisava dar explicações a vizinhos, à imprensa, à polícia. Não tinha que pagar imposto, não tinha falso amigo bêbado, não tinha crítica, não era observada nem julgada por todo mundo.

Na prisão, me sentia mais livre do que em liberdade.

Se pudesse ter levado comigo meu cachorro Poncho, teria inclusive ficado mais tempo. Estar presa podia ser um pesadelo para muita gente, mas para mim foi ótimo!

Reconheço que Tollkühn tentou estragar a festa algumas vezes. Sempre encontrava alguma coisa de que não gostava, de maneira totalmente imprevisível. Um dia, enquanto limpava a cozinha, eu estava ouvindo rádio alto demais para o gosto dela. Tive direito a um processo expeditivo: o radinho foi jogado no balde de água.

Mas não bastou. Ela me pegou pela gola e me mandou nunca mais irritá-la com a minha música de merda. Era *Land of Confusion*, do Genesis, que estava tocando. Era bem recente. Só mais tarde prestei atenção na letra e reparei no que Phil Collins dizia: que na Terra há gente demais disposta a criar problemas e gente de menos para fazer amor. Não sei se foi o texto que a incomodou tanto ou se a canção era boa demais para ela.

Na prisão eu trabalhava com boa vontade, mais do que do lado de fora. Não havia pressão para provar o que quer que fosse, para quem quer que fosse. E tampouco precisava atender exigências, seguir normas e me submeter a avaliações.

Esse tipo de coisa me paralisava, por não ter autoconfiança suficiente.

Na prisão ninguém me obrigava a trabalhar, sequer propunham espontaneamente uma tarefa. Você que tinha que pedir um emprego, repassar seu currículo e passar por uma rápida entrevista de admissão. Eu tinha aprendido essas coisas na formação de livreira, e foi fácil. Postulei o trabalho por querer sair da minha cela, ou ficaria de saco cheio.

É claro, eu tinha dinheiro na minha conta, lá fora. Minha mãe, que na época tinha uma procuração minha, poderia me trazer. Mas era importante me ocupar. E se, além disso, ainda pudesse ganhar uns trocados, melhor!

Meu primeiro trabalho foi na oficina de carpintaria. Meu chefe era muito gentil, mas o trabalho era terrível, pois realmente não tinha habilidade com as mãos. A primeira atividade foi a de fabricar uma fruteira, o que podia ser bem legal. Mas não para mim. Recebi um bom bloco de madeira que devia ser escavado, lixado e polido. Poli tudo por horas e horas, até as mãos doerem. Mas por mais que me esforçasse, minha fruteira ficou troncha e capenga.

Se quiserem ser legais comigo, podem dizer que era arte. Na verdade, porém, só servia para a lata de lixo.

Os potes, caixas e prateleiras fabricados na oficina da prisão podiam ser vendidos no mercado das pulgas das vizinhanças.

Minhas “obras”, no entanto, não iam interessar a ninguém. Então, foram jogadas fora.

Também não tive sucesso com as paletas de pintura. Tinha que aprender as cores, as transições, as misturas etc. Mas sou capaz de julgar quando tenho aptidão ou não para algo. No final de três semanas, reconheci: isso não vai dar em nada! Como todo mundo ali estava bem contente de ter uma ocupação, não me demiti da oficina de marcenaria até ser aceita na manutenção. E mantive o trabalho até ser solta.

Minha sucessora no ateliê foi uma recém-chegada. Diziam que ela tinha os dentes amarelos por causa das mordidas que dava no marido, até os ossos.

Dois dias antes de sua chegada, tínhamos lido no jornal que uma mãe de Moabit estava em prisão preventiva por ter, com a ajuda dos quatro filhos, matado o marido, se livrando dele no subsolo da casa. Havia dois jornais na prisão, *Berliner Zeitung* e *Tagesspiegel*; lendo as páginas policiais, sabíamos com antecedência quem em breve desembarcaria entre nós.

A matéria do *BZ* contava que uma família inteira havia liquidado o pai. Devia ser um porco alcoólatra que os maltratava. Em todo caso, o cadáver começou a feder, e isso chamou a atenção dos vizinhos. A mãe, que acabou virando uma de nós, de fato tinha os dentes incrivelmente amarelados.

— Porque roeu os ossos — disse uma das moças para fazer graça e as outras aproveitaram.

Mas a tal mulher era firme na resposta e se defendeu bem das piadas. Apenas dizia:

— Vocês não fazem ideia, nem o cachorro ia querer aquele velho, de tão nojento que ele era!

Não havia propriamente um ponto de venda na prisão, mas sim uma lista de artigos, escrita num papelão, como um cardápio de restaurante. De volta à cela, eu tinha todo o tempo do mundo para calcular quantos cigarros podia comprar com o meu salário. É preciso pensar bem, pois só fazíamos compras duas vezes por mês. Os vendedores vinham a cada quinze dias: os preços eram um verdadeiro roubo. Por isso eu pensava bem no que ia comprar.

E acabou acontecendo o que devia acontecer: me apaixonei por uma mulher. Chamava-se sra. Blume, que significa "flor" em alemão... O amor precisava fluir por algum lugar. Meu coração batia ao vê-la. Era pequena, delicada, bem em forma, cabelos curtos louro-escuros. Mas não masculinizada. Tinha olhos amendoados muito meigos e feições finas. Fazia mais o tipo jovem mãe dinâmica. Dava a impressão de mimar, de não julgar e de tratar cada um individualmente, segundo suas necessidades.

De vez em quando, era a vez da sra. Blume me acompanhar no meu turno, e eu passava então algumas horas com ela. Como o nome indicava, ela cheirava maravilhosamente bem, como um buquê de flores frescas. Toda vez que trabalhava comigo me dava um comichão na barriga e no final eu só tinha um pensamento: quando ela vai voltar?

Na prisão, todo mundo se agarrava a alguma coisa. Entre a maior parte de nós não haveria laço nenhum se não estivéssemos trancadas juntas. E inconscientemente estabeleciam-se laços, criava-se a ilusão de realmente haver algum sentimento com relação àquelas pessoas, que se tornavam sua família e seus amigos. Pelo menos foi como se passou comigo, mas acho que era assim para a maioria.

A sra. Blume sorria o tempo todo. Acho que teria gostado dela mesmo lá fora. Era uma boa pessoa. Severa, naturalmente. Mas boa. Isso me agradava. Apesar de, a princípio, eu não gostar de pessoas que trabalham em prisões. Era desgastante. Precisávamos ouvir cobras e lagartos, e isso, para a maioria das mulheres, nunca deu bons resultados. Somos seres sensíveis e acho que nos tornamos outra coisa quando temos que reprimir essa sensibilidade. As emoções é que nos dão beleza.

Apesar da profissão, a sra. Blume era muito sensível e, evidentemente, notou meus sentimentos por ela. Talvez não fosse a primeira vez que isso acontecia, dada a maneira como reagia. Não me evitava nem me obrigava a falar; não me tratava bem nem mal.

Era atenciosa comigo por respeitar a maneira como eu reagia à solidão carcerária. Nada mais.

Mas com isso eu me sentia menos idiota do que se tivesse friamente me deixado plantada ali ou se me induzisse a falar. Não era má a esse ponto.

É só o que posso dizer. Nada aconteceu. Em liberdade, eu ainda poderia ter tentado me aproximar. Mas do lado de fora tudo é diferente. Em todo caso, foi legal da parte dela não me humilhar. Na sua posição, teria sido fácil.

Na cela, à noite, eu escrevia páginas e páginas de cartas. Ao todo, recebi 425 cartas na prisão e enviei cerca de quinhentas. Havia cartas de fãs, mas principalmente de amigos e do namorado por correspondência, Gode Benedix.

Tínhamo-nos conhecido na Dschungel, a boate delirante de Berlim-Schöneberg, cultuada até que a onda techno berlinense se ampliasse, no início dos anos 1990, depois da queda do Muro. Naquela época, dizia-se que a Dschungel era a equivalente berlinense do Studio 54 de Nova York. No inverno, muitas pessoas faziam fila batendo os dentes e esperando que as deixassem entrar. Iggy Pop frequentava a Dschungel, assim como Carlos Santana, Romy Haag e David Bowie, de quem eu era fã desde os 14 anos.

Evidentemente, Bowie não ia com tanta frequência quanto eu — ele não morava mais em Berlim, mas em Nova York. Nós nos conhecíamos, mas infelizmente trocávamos poucas palavras insignificantes, e nunca pareceu possível passar disso. Eu não falava bem inglês e tinha medo de que ele não gostasse de mim.

Recentemente, para seu 66º aniversário, ele lançou uma canção sobre Berlim e a Dschungel: *Where are we now*. E tenho vontade de responder: no mesmo lugar de sempre, ali onde estávamos.

Na época, Ben Becker, o genro de Sander, ia frequentemente à Dschungel. Otto também aparecia, mas em geral caía debaixo da mesa. Com Gode era diferente: por vários anos ficou na entrada da boate, perto do caixa, de terno e gravata. Segurança e caixa ao mesmo tempo. E era amigo de Ben.

De início, não ousei me aproximar de Gode, dizendo para mim mesma: o cara é coisa demais para você. Gostava de vestir Vivienne Westwood e viajava a Londres com os amigos para dar uma olhada nas novas coleções. Estavam sempre na moda, no que havia de mais cool. Gode também era DJ e tocava numa banda.

Na prisão, pedi a um amigo que perguntasse a Gode se eu podia escrever para ele. Pedido aceito, nos aproximamos, mesmo que nunca tenha ido me visitar — eu não queria. Trocávamos correspondência pelo menos três vezes por semana. Usávamos sempre o mesmo papel de carta. Aos poucos, pequenos laços começaram a enfeitar os envelopes, coraçõezinhos ou beijos com batom.

Não havia declarações de amor, só nos mantínhamos a par do nosso dia a dia. Eu transmitia minhas observações sobre a prisão, que me marcariam para sempre, e ele me repassava as últimas histórias da Dschungel e falava da vontade que tinha de seguir carreira de ator, além da música, como Otto Sander. Quando saí, foi como se tivéssemos passado aqueles dez meses juntos. Tínhamos realmente nos aproximado.

Sou melhor escrevendo do que falando. Quando amo, é incrivelmente difícil falar diretamente com a pessoa, pois tenho medo de ser rejeitada. Intimidada, fico olhando para o chão, balanço muito, gaguejo, é horrível. Realmente não gosto mesmo de mim nesses momentos e tenho medo de que a pessoa também não goste. Por escrito tudo é bem mais fácil, pois posso recomeçar do início se alguma coisa não me agradar. E se não tiver resposta, posso me dizer que foi por falta de tempo, e não por culpa minha.

Os dez meses em Plötzensee passaram rápido, não foram tão ruins e, além do mais, a gente se habitua com tudo. O psiquismo tem mecanismos realmente eficientes de defesa e, nas situações difíceis, a gente se agarra às coisas bonitas. Mesmo que seja só para se iludir. São mecanismos de recalque que ajudam. Ver o que há de bom no que vai mal torna as coisas um pouco mais suportáveis.

Tive visitas também. Miriam e Guido, assim como os colegas do apartamento de Hamburgo e muitos outros amigos que fiz com as drogas, de Berlim e Zurique. Nina Hagen e até Hector Coggins vieram. Foi incrível! Ele estava na Alemanha para uma exposição das suas obras e havia perguntado por mim a Alexander Hacke. Quando soube que estava presa, foi me ver. Achou engraçado eu estar atrás das grades. Deve tê-lo inspirado, de uma maneira ou de outra.

Quando fui solta, descobri que tinha sido extremamente econômica e ainda tinha 800 marcos para receber. Deixei Plötzensee cheia de energias positivas. Além do novo amor, era uma nova oportunidade para me virar no futuro sem heroína. Estava clean há dez meses.

Logo de início Gode e eu ficamos juntos e acabei engravidando. Fiquei realmente surpresa. Quando a ele contei e perguntei o que fazer, ele disse apenas:

— Você que sabe.

Ficou claro que não se interessaria, e então fiz um aborto, pois ainda não me sentia capaz de assumir aquilo sozinha.

Eu estava com 25 anos, e ele também. Mais tarde, me arrependi desse aborto, mas quando o cara diz: "Você que sabe", você sabe o que esperar.

Como Ben e Gode eram inseparáveis, Otto Sander era considerado meio que como um pai adotivo. Frequentemente íamos à casa dos Sanders, que formavam uma verdadeira dinastia de atores. Eram mais hospitaleiros do que simpáticos: acho que era difícil para Monika, mãe de Ben, e para a irmã, Meret, me suportarem. Na época, estava convencida de que Meret se interessava por Gode. Mas era bem mais nova, e ele a via mais como uma irmãzinha caçula. E Meret, por sua vez, acabou se casando com o cara de quem eu tinha sido a primeira mulher: Alexander Hacke, guitarrista e baixista dos Einstürzende Neubauten. Gode e os outros também andavam com o pessoal do Depeche Mode. Na época, estavam morando em Berlim e frequentavam o Damaschke Nachtclub, o DMC, uma boate que parecia um imenso banheiro, todo ladrilhado. Era onde a gente se encontrava.

Havia também Fetisch, músico e DJ de vanguarda. E a irmã dele. Os dois eram órfãos, se não me engano, e viveram o terror de tantas crianças: os pais foram ao teatro e eles nunca mais os viram. No caminho de volta, bateram com o carro numa árvore. As crianças ficaram abandonadas e, pelo que sei, Fetisch até hoje anda às voltas com drogas e outras tendências autodestrutivas. Mas como bons irmão e irmã, sempre apoiaram um ao outro.

Eu tinha medo que ela (acabei esquecendo o seu nome) roubasse Gode de mim. Era uma menina genial, com belos cabelos escuros e maneiras bem diretas. Como a vida não lhe fora gentil, ela pegava o que lhe cabia, mas de maneira franca e honesta.

Para terminar, havia Plez e seu grupo, o Hong Kong Syndikat. Precisavam de um guitarrista que pudessem exibir num palco — e, sobretudo, de um pretexto para afastar Gode de mim. Por que não sei, mas tinham a impressão de que eu prejudicava a imagem deles. Chamavam-no o tempo todo para que participasse de qualquer show do grupo. Foi o que aconteceu quando viajamos para a Grécia.

6

As ilhas da esperança

Por que escolhemos a Grécia não me lembro mais. Em todo caso, levamos um exagero de bagagem, pois eu nunca havia passado férias na praia. Não sabia de que poderia ter necessidade. Com isso juntamos três malas para três semanas. Inclusive sapatos de salto alto, maquiagem e joias. Um monte de coisas supérfluas que nunca foram utilizadas.

Principalmente nos três primeiros dias. Não quis levar heroína no avião e, chegando lá, entrei em crise. Não parava de vomitar e evacuar. Era impossível dormir.

Durante essas noites em péssimo estado, a Grécia me deu uma impressão horrível. Suando em bicas, me contorcia de dor numa cama de metal que rangia, numa pensão minúscula na ilha de Paros. Não tinha televisão e o calor úmido me deixava arrasada. Era obrigada ainda a aguentar, toda noite, galos cantando e burros zurrando. Sem nada em que pudesse me agarrar, num país totalmente desconhecido e ainda por cima com aqueles cocoricós e zurros intermináveis. Podiam ser ouvidos a quilômetros de distância.

No terceiro dia disse a Gode que ele devia pelo menos ir à praia. Mas ele também não estava nada bem, e olha que não se drogava. Na Grécia, baixada a poeira da cidade grande, se dera conta de que, com a profissão de DJ, ele viajava o tempo todo, bebia muito e não comia nem dormia o bastante. Estava tão exausto quanto eu, só que de outro jeito.

Passamos então os quatro ou cinco dias iniciais de cama. E depois, no momento em que podíamos enfim descansar de toda aquela merda berlinense, o Hong Kong Syndikat o chamou, e ele foi embora de vez.

Eu disse:

— Se você for, é para sempre.

Acho que as coisas poderiam realmente ter dado certo entre nós. Até hoje a mulher dele fica de olho quando nos esbarramos na rua. Mas, na época, foi como tudo aconteceu. Ele pegou o avião e, de despedida, pedi que levasse minha bagagem sem uso.

Depois disso, montei minha barraca perto de uma taberna em Pounda Beach, um recanto perto de Logaras. Logaras e Golden Beach são magníficas e enormes praias de areia fina em Paros, a leste do porto de Parikia. A areia é branca, a água, turquesa, e, quando o céu está claro — o que era quase sempre o caso, naqueles meses —, pode-se ver distante, na ilha vizinha de Naxos, o vaivém dos ferryboats. Naxos, como Paros, faz parte das Cíclades; é a ilha em que Ariadne foi abandonada depois de ter ajudado o belo Teseu a matar Minotauro. Mais tarde, eu muitas vezes me identifiquei com esse mito — cega de amor, confiando nas promessas de um homem, e depois largada ali, sozinha.

O proprietário do local era um velho comunista grego que parecia Karl Marx, por causa da barba grisalha e da cabeleira.

Tinha se casado com uma alemã de Hamburgo e importado também um funcionário berlinense.

O ambiente era superdescontraído. Podíamos inclusive ter nossas garrafas marcadas e tocava música o tempo todo. Os clientes podiam colocar seus próprios cassetes no gravadorzinho que ficava no bar e o dia inteiro ouvíamos Bob Marley, Rolling Stones e Allman Brothers — tudo que, em 1987, lembrava os bons tempos. A estadia em Paros foi muito relaxante.

Na praia, todas as mulheres olhavam um grego que sempre passava com uma cadela, Negrita. Era bem magro e alto, mas dava uma impressão de força. Usava apenas um short escuro e sandálias velhas de couro marrom. Não parecia sequer notar os turistas. Vivia misteriosamente por ali, na praia, numa árvore oca. Eu sonhava em ter um amigo que gostasse de cachorros. Sempre tive um e a maioria dos namorados não gostava.

A cadela preta de pelos longos e orelhas curtas e o sujeito comprido com uma mochilinha nas costas me agradaram imediatamente. Quando passaram à frente da minha tenda, eu dei um "oi". Não sabia o que dizer além disso. Ele parou e me olhou de forma inexpressiva. Mas Negrita veio me cheirar e aceitou um afago. Pouco tempo depois, fui conhecer a árvore oca com eles. No dia seguinte, pela manhã, ele disse:

— Romances de férias não fazem meu tipo.

Esqueci então minha passagem de volta para Berlim. Ele se chamava Panagiotis.

Havia construído um pequeno paraíso naquela árvore, um lar dos sonhos, com dois cômodos e terraço! As raízes tinham crescido tanto que formavam duas cavernas. Uma era para os animais, onde dormiam Negrita e um gato. Morávamos na outra.

Como a árvore era cercada por dunas, numa pequena elevação, podíamos acender um fogo bem à frente. Para essas ocasiões nos preparávamos e enfeitávamos, além de pendurar na árvore dúzias de garrafas de plástico cheias de areia e velas. Visto da taverna, que ficava num plano mais baixo, era como se a árvore inteira estivesse iluminada.

O que nos unia era a infância infeliz, com surras e muita solidão. Aos 10 anos ele teve que pastorear o rebanho de carneiros do pai, num vilarejo pobre perto da fronteira albanesa. A cidade mais perto era Igoumenitsa, um pequeno porto para ferryboats, a 20 quilômetros de Corfu. Panagiotis tinha frequentemente que enfrentar os acessos de raiva do pai, quando algo não ia como o previsto.

Um dia, quando tinha 15 anos, hippies de passagem chegaram ao vilarejo, com o mal-afamado *Magic Bus*. Percorriam o caminho do *hippie trail*, que levou por via terrestre milhares de homens e mulheres da Europa ao sul da Ásia, nos anos 1960 e 1970. Para muitos não se tratava apenas de conquistar o mundo gastando pouco, mas também de encontrar drogas a baixo preço no percurso. No Afeganistão, por exemplo, assim como em Goa.

Panagiotis fazia perguntas aos hippies sobre o mundo para além das fronteiras de seu vilarejo e ficou fascinado com as histórias, com tanta liberdade e independência. Resolveu então partir com eles, convenceu o pai dizendo ser uma aventura da qual retornaria um verdadeiro homem e prometeu à mãe que voltaria para casa no verão seguinte. Naquela época tinha trinta anos, cinco a mais do que eu e, como Ulisses, viajava pela Grécia de ilha em ilha. E passei a acompanhá-lo.

Ao se juntar aos hippies para escapar do vilarejo na fronteira albanesa, Panagiotis também experimentou suas drogas —

inclusive a maldita heroína. Ele nem precisou me contar quando o vi pela primeira vez. Olhei bem e não tive dúvida: era um drogado. Era o que sempre acontecia, os semelhantes se atraíam mutuamente. Talvez por vivermos num mundo que ninguém de fora compreendia ou talvez por não compreendermos o mundo dos outros. Ou as duas coisas.

Antes de nos conhecermos, Panagiotis tinha vivido seis anos com Marijanna, um pedacinho de mulher com uma tremenda força e da mesma idade que ele. Tinha seios volumosos, cabelos escuros e uma pele morena magnífica. Ao contrário de mim, fazia um gênero mais esportivo. Gostei muito dela, mas tinha uma personalidade forte demais para Panagiotis. Quando a conheci em Pounda Beach eles já estavam separados, mas há não muito tempo, e Marijanna realmente não queria aceitar o fato.

Mesmo sabendo que estávamos juntos, ela não assumia que havia sido deixada. Continuava na nossa cola e não me levava nada a sério, vendo-me na areia com meus escarpins. Não se preocupava comigo, o que aliás eu provavelmente também faria, se os papéis se invertessem.

Após algumas semanas, perguntei a Christos, irmão mais novo de Panagiotis, e à Maria, namorada dele, se valia a pena lutar pelo cara ou se Marijanna ia tomá-lo de volta, de qualquer maneira. Os dois responderam: "Não, com Marijanna está terminado!" Mas me fizeram igualmente entender que teria que aceitar a presença dela. Ao que eu não me dispunha tanto.

Depois de uma estadia dos sonhos na magnífica região de Pounda Beach, partimos para a suja, barulhenta e caótica Atenas. Ficamos num hotel situado no porto do Pireu. No dia seguinte pela manhã, Panagiotis saiu dizendo que só voltaria no fim do dia. Maria e Christos deviam encontrar um traficante num ferry. Fiquei sozinha por quatro dias.

O hotel era tão horrível que Negrita e um filhote ficaram escondidos debaixo da cama, mortos de medo. Os quartos eram minúsculos, uns 8 metros quadrados, mais ou menos, com banheiro e chuveiro compartilhados no corredor, entre todos os hóspedes. Procurava me controlar ao máximo, evitando ter que sair do quarto. O lugar era frequentado sobretudo por marinheiros, e o restante dos clientes que perambulava por ali em geral estava bêbado. Batiam à porta o dia inteiro, achando que podiam me comer. Imaginavam que Panagiotis e Christos fossem meus cafetões e tivessem me deixado ali para que eu trabalhasse.

Não sabia o que fazer naqueles dias. Não podia ficar no quarto, mas assim que saía me sentia ainda mais só. No Pireu, a confusão era intensa, pois tudo estava em obras, não se via um pedacinho de grama, a atmosfera era completamente poluída e o barulho da cidade, insuportável. Conhecia Panagiotis desde o mês de agosto e estávamos em novembro. Não tinha notícias de Gode, nem ele de mim. Comecei então a ter uma única vontade: voltar para casa.

Em determinado momento, Panagiotis acabou mandando o irmão levar heroína para mim. Vi que alguma coisa estava bem estranha. Por que não vinha pessoalmente? Achava que com isso eu ficaria ali, chapada, esperando que voltasse? Era evidente que havia outra mulher na parada e desconfiei que ele estivesse passando aqueles dias com Marijanna.

Deixei afinal em cima da cama um pedaço de papel no qual tinha escrito "*OXI*". "*OXI*" foi a primeira palavra que escrevi em grego. Significa "não". Em seguida, me virei sozinha naquela cidade grande para que me enviassem dinheiro. Telefonei para minha mãe, que transferiu 1000 marcos para uma conta postal em meu nome. Com o dinheiro, fui diretamente ao aeroporto para pegar o primeiro avião para Berlim. Tudo foi bem rápido, já havia feito o check-in e me livrado da bagagem, quando ouvi um chamado pelo alto-falante do aeroporto. Sabia o que podia ser: Panagiotis. Christos provavelmente dissera que eu tinha ficado furiosa ao vê-lo chegar para entregar o bagulho e dar um alô pelo irmão. Panagiotis percebeu que eu ia cair fora, foi ao hotel e de lá ao aeroporto, depois de ver meu "*OXI*". Mas tomei o avião. Tudo que eu queria era voltar para casa.

E quem encontro no meu apartamento da Reuterstraβe? Gode. Conversamos e pedi mil desculpas, pois naquele momento estava me sentindo péssima. Era realmente culpa minha ter ficado largada daquele jeito numa cidade estranha, no meio de todos aqueles homens com fogo no rabo. Queria que Gode me tomasse nos braços e reconfortasse, o que ele acabou fazendo. Mas não funcionava mais. Minha atitude, ao ficar na Grécia, tinha estragado a relação. Durante todo aquele tempo ele ficara sozinho e havia retomado o emprego na Dschungel.

Eu, enquanto isso, estava sempre correndo atrás de alguma coisa, sem nem saber o quê. Não tenho a menor ideia do que me impedia de ficar parada, por que pensava ser preciso me mover o tempo todo. Talvez por ser filha de pais divorciados, tendo tido o exemplo de que não valia a pena se comprometer.

Nesse meio-tempo, Panagiotis, Maria e Christos foram para a Índia. Aquilo estava previsto desde antes, mas eu mesma não queria participar da viagem. Dizia que ir estava fora de cogitação, pois sabia que não voltaria viva. Acabaria deixando a minha pele por lá. O projeto era o de refazer o percurso do *Magic Bus*. Na época, os hippies consideravam aquilo algo que não se podia deixar de fazer e transmitiam entre si, como um segredo, os itinerários e os lugares a serem vistos. Nenhuma agência de viagens reservaria passagens para o *hippie trail*. Eram coisas de que se ouvia falar à noite, na fogueira do acampamento, ou no café da esquina; uma coisa mágica.

As viagens para a Ásia partiam em geral da Europa, frequentemente de Amsterdam ou Atenas. Gente vinda dos Estados Unidos desembarcava em Luxemburgo pela *Iceland Air*, que tinha voos transatlânticos baratos. Continuavam em seguida por terra, rumo a Istambul, Teerã, Cabul, Peshawar ou Lahore, isso quando não resolviam chegar ao Irã passando pela Síria e Jordânia, indo em seguida a Goa, Daca, Bangkok ou Katmandu.

Mas boa parte dos viajantes sequer chegava à Índia, Tailândia ou Nepal. Desistiam no meio do caminho, de tanto se drogar. Em Cabul, havia inclusive um cemitério para os mortos do *Magic Bus*, pelo menos até a guerra no Afeganistão. Outros que partiam no *hippie trail* podiam ir até lá, de repente, para rezar pelos seus, meditar ou fazer não sei mais o quê.

Provavelmente eu terminaria ali. Um bando de doidos numa Kombi, no meio do deserto e de campos de papoula — eu teria me picado sem conseguir parar, nunca mais ia querer ir embora. Ia acabar morrendo ali. Por isso não quis ir.

Um ano depois, a história com Gode havia terminado definitivamente. Ele não me aguentava mais — com toda razão. A dependência era extrema, da maneira mais abjeta, o tempo todo ligada.

Realmente não tinha o que esperar de mim. Não se pode dizer que não se esforçou, procurando formas de ajudar: chegou a telefonar à minha traficante, fazendo ameaças. Uma vez ele pediu que aplicasse nele uma dose de heroína, o que acabei fazendo, depois de ter recusado por um momento. Queria provar que era possível levar uma vida normal, mesmo com heroína no sangue. Mas não havia mais o que fazer para salvar nossa relação. Tentei então me matar fazendo greve de fome. Ameacei:

— Se não voltar, não como mais nada.

Ele não se sentiu nem minimamente impressionado.

Comprei uma passagem de avião e fui embora. Na Grécia é que eu tinha jogado tudo para o alto, então disse a mim mesma: "Bom, vai ter que ir ao lugar onde fez as coisas desandarem. Quem sabe estando lá descobre o que fazer."

Quinze horas depois de romper com Gode, desembarquei de novo em Pounda Beach, exatamente como da primeira vez. Já era noite quando me instalei ao lado da taberna. Tudo estava igual. Saco de dormir ao lado de saco de dormir, dúzias de pessoas sob as estrelas. Ouvi muita reclamação ao me intrometer ali no meio. Tinha trazido uma dose de heroína escondida no acolchoado do saco e conseguia aguentar dois dias sem ter que procurar um traficante. Preparei uma picada leve e comecei a relaxar.

Passado um tempo, acordei com a impressão de ter ouvido uma voz conhecida. Mas, como estava semidesacordada, simplesmente me virei para o lado e voltei a dormir. De repente, alguém pulou em cima de mim.

— Christiana! — cochichou várias vezes Panagiotis, antes que eu me desse conta de que não estava sonhando.

Tinha chegado da Índia quatro dias antes. Maria adoecera gravemente e quase morrera depois de uma febre fortíssima. No final, venderam os passaportes, pois não tinham mais o que comer, e tiveram que se arrastar ao consulado para poder voltar. No período da monção, tinham ficado com água e lama até os joelhos, deve ter sido um verdadeiro pesadelo. Ainda bem que não quis mesmo ir com eles.

Evidentemente fiquei com Panagiotis. Vivíamos em barracos improvisados de madeira que construíamos ou entre os hibiscos. Para afugentar insetos e escorpiões, dormíamos em tapetes de tomilho e orégano. Ou simplesmente na areia fina, à beira-mar. Catávamos caracóis ou mariscos. O pouco dinheiro que Panagiotis ganhava como tatuador de turistas bêbados, bastava apenas para comprar água e arroz.

Ouvíamos muita música antiga: Gary Moore, Dire Straits, Pink Floyd. Rádios piratas tocavam coisas assim a noite inteira. É incrivelmente romântico estar sentada perto de uma fogueira, enquanto o seu cara ajusta o rádio, todo concentrado, até encontrar a sintonia exata e você poder se aninhar nos braços dele e contemplar as chamas. À noite, o céu era cheio de estrelas, e no ponto em que os dois continentes se encontram tinha-se a impressão de que dois céus se uniam. Eu nunca presenciara algo tão fantástico. Preparávamos a comida na fogueira, eu lavava nossas coisas em bicas de água pública, congelador e máquina de lavar não faziam falta. Precisávamos apenas de nós.

Christos e Maria viajavam conosco. Dois seres magníficos que andavam por todo lugar vestidos de indianos. Maria se maquiava com hena indiana, pedrarias e tudo mais. Christos tinha a minha idade, e ela era um ano mais nova.

Entre nós, falávamos inglês, mas com um sotaque que os britânicos não entenderiam quase nada. Acrescentávamos um pouco de alemão, grego e latim, porque as palavras inglesas frequentemente causavam confusão. Por exemplo a palavra inglesa *ants*, formigas. *Ant, and. And so what?* Estávamos querendo dizer *ant* ou *and*? Entre nós, então, os insetos eram chamados *formica*, que em latim significa formiga.

Nos meses de frio, estávamos em Creta. Quando víamos uma casa vazia que nos agradasse, simplesmente a invadíamos. O proprietário acabava aparecendo: que diabos estão fazendo aí? Explicávamos estar precisando de um repouso e perguntávamos por quanto nos permitia ficar. Em geral, chegávamos a um acordo de aluguel pelo equivalente a 50 marcos (cerca de 25 euros) por mês, e o dono da casa, algum velho camponês que passava só para averiguar, podia montar de volta no seu burrico e ir embora, bem satisfeito de ter gente ocupando a casa.

A cada verão viajávamos de ilha em ilha. Como havia prometido à mãe, Panagiotis sempre passava algumas semanas na casa dos pais. Eram para mim os períodos mais bonitos, pois podia ver e viver tudo aquilo. A família de Panagiotis era a única de toda a vizinhança a nunca ter ido à Alemanha.

Os outros moradores vinham nos visitar para falar do tempo em que eram trabalhadores imigrados e para desenferrujar o alemão. Ficavam felizes por eu relembrar aquele período da vida deles, e eu, por ser tão bem-recebida. Durante o dia, procurava ajudar na fazenda. Ordenhei, espalhei esterco, dei de comer às vacas e também abatemos uma. Foi uma época maravilhosa, em que aprendi enormemente.

Quando Panagiotis ficava de pé olhando o mar, era possível ver, pelos quadris e costas bem retas, que, quando recém-nascido, ele tinha sido enfaixado. Os dois irmãos também foram mantidos assim, o que era um costume dos cristãos ortodoxos antigamente. Acho a prática horrível, pois os bebês ficam sem qualquer movimento, mas era o que se fazia habitualmente. E a tortura deu resultados: Panagiotis tinha um corpo lindo, de gladiador.

No auge dos meus 25 anos, eu era uma pobre idiota, e foi com Panagiotis que me tornei mulher. Ganhei muito com o convívio. Com ele e graças a ele eu me sentia incrivelmente livre. Passei a ser eu mesma, simplesmente.

Um dia, numa viagem, ele acabou descobrindo meu livro. Estávamos separados há um bom tempo, e ele não tinha a menor ideia de quem eu era. Tinha lido a quarta capa, visto minha foto ainda adolescente e ficado curioso. Então comprou o livro e colocou-o na mochila, que estava aberta em cima. Queria primeiro dormir um pouco na praia e depois trabalhar. Com os hippies, Panagiotis havia aprendido a tatuar com hena, apesar de fazer também tatuagens permanentes, com tinta subcutânea. Passaram-se algumas horas e, como não apareciam clientes, ele recolheu suas coisas.

Mas o livro havia desaparecido. Procurou em volta e viu restos de páginas sendo ruminados por uma vaca. Um absurdo que o animal tivesse escolhido precisamente o meu livro para comer, tendo árvores e mato em volta. Era como tinha de ser. Quando ele me contou tudo isso, pensei: "Tudo bem, aparentemente quem eu sou não tem a menor importância. Faz sentido. Só o momento presente conta."

Eu nunca tinha experimentado isso: toda vez que transávamos eu chegava ao orgasmo. Com uma paciência incrível e perfeito equilíbrio entre agressividade e delicadeza, ele me fazia carinhos pelo corpo inteiro. Ser amada com tão pouco pudor e tanta intensidade me fazia gostar mais de mim mesma.

Novamente engravidei. Mas não estávamos juntos há tempo suficiente. Ele disse que assumiria, mas eu é que me senti insegura, sem saber direito no que tudo aquilo daria. Poderia mesmo viver na Grécia a longo prazo?

Dinheiro não era problema, eu tinha bastante. Quase meio milhão de marcos (250 mil euros, mais ou menos) nas minhas contas na Alemanha. Mas Panagiotis dizia:

— Você é minha convidada. Ou gosta de mim com o pouco que tenho ou pode ir embora.

Eu concordava. Dinheiro não significava coisa alguma para mim. Tinha um papel apenas porque os outros, minha família e os amigos, achavam importante.

Na Grécia, é claro, eu não tinha seguro de saúde. Então pedi que me mandassem de Berlim 250 marcos para a operação. Minha mãe tinha uma procuração.

Mas teria feito melhor indo à Alemanha. A clínica de Atenas era um matadouro. Como parecíamos vagabundos, foi assim que os médicos nos trataram. Como se eu fosse um objeto, um nada. De repente, durante a operação, começaram a discutir. De bisturi em punho, por assim dizer.

Compreendo bem melhor o grego do que falo e, pelo que pude entender, a enfermeira mais jovem não queria de jeito nenhum participar de um aborto. A mais velha, uma enfermeira experiente, estava de pé ao meu lado com o protóxido de azoto. Eu estava apavorada e pedia:

— Por favor, mais gás, mais, mais, mais!

Deram tanto que acabei apagando e me esbofetearam para que acordasse e me deixaram plantada ali, até recuperar a consciência. Quando retomaram a operação, senti tudo, a curetagem completa com bisturi e a aspiração. Doía horrivelmente, a aparelhagem era assustadora, velha, suja e encrustada de calcário.

Negrita engravidou ao mesmo tempo que eu e deu à luz dez filhotinhos. Até o parto, insistimos na ideia, mas no dia seguinte foi preciso reconhecer que não tínhamos como ficar com todos. Mesmo para a cadela era demais e, muito rapidamente, somente sangue saía de suas tetas. E tínhamos apenas arroz para comer.

Eu pegava então o menor caranguejo, o menor caracol, o menor escaravelho contendo proteínas, macerava e deitava na boca dos cachorrinhos.

Meu dinheiro nem nos ajudaria naquela situação, pois não havia comércio algum por perto. Estávamos em pleno pampa, em Ierapetra, em Creta, sem ração para cães nem médico. E, mesmo que encontrássemos um médico, ele ia querer um *fakelaki*, um "suborno" em grego, sem o qual jamais se aproximaria de um cachorro.

As pessoas não gostam de cães na Grécia. Não se pode levá-los a lugar nenhum nem mesmo entrar num ônibus. Nas viagens, éramos obrigados a trancar Negrita no compartimento das bagagens, com as malas. Seria impossível com os filhotes.

Panagiotis então tomou a decisão:

— Escolha os quatro mais bonitos e gordinhos. Levo embora o resto.

Depois, fomos à praia, até um lugar em que ninguém pudesse ver. Chorando, cavamos juntos um buraco na areia, colocamos os cachorrinhos num saco, que amarramos para que morressem asfixiados. Jogamos areia por cima até soterrar tudo e fomos embora.

À noite, bebemos muito, para asfixiar nossas mágoas como havíamos feito com os filhotinhos. Mas, mesmo tendo realmente sofrido em momentos assim, a ponto de me perguntar por que me infligia tudo aquilo, foi um período da vida que me trouxe tantas coisas...

Sim, com toda sinceridade, foi ótimo viajar de ilha em ilha como os beduínos, livre do consumismo e do dinheiro.

Sei hoje que aqueles anos na Grécia foram os mais felizes da minha vida.

7

Zigue-zague

Quando me dava na cabeça, deixava a Grécia e ia passar algumas semanas na Suíça, na casa dos Keel. Inclusive levei Panagiotis a Berlim. A primeira vez acho que foi em 1990, no ano da reunificação da Alemanha. Ele detestava a cidade. Tentei habituá-lo a sapatos adequados para o inverno berlinense. Mas a vida inteira ele só tinha usado sandálias, ou nem isso, e tropeçava o tempo todo, em qualquer lugar. Sendo assim, saíamos o mínimo possível e, em vez disso, passávamos a maior parte do tempo no mezanino dormindo ou chapados. No momento da queda do Muro, com meu apartamento da Reuterstraβe nem tão longe da fronteira com a RDA, acham que fomos dar uma olhada? Que nada! Uma vez aberta, a fronteira haveria de estar assim também no dia seguinte.

Um ano depois, fomos juntos a Zurique, viagem que quase implodiu nossa relação. Tudo porque fiquei completamente alucinada e, sem saber exatamente por que, injetei na veia o equivalente a 800 francos suíços numa noite. É verdade que a heroína custava mais ali do que na Grécia. Na época, isso representava mais ou menos 1000 marcos. Um grama custava entre 180 e 200 marcos.

Não sei o que deu em mim — estava superexcitada em poder mostrar a Panagiotis como se passavam as coisas no Platzspitz, pois ele também tinha a impressão de ser permanentemente controlado e julgado por causa da droga. E ali nos deixavam em paz.

De fato, ele nunca havia visto nada igual. Rapidamente encontrei velhos conhecidos. Passamos o tempo todo perambulando pelo parque, mesmo tendo um simpático quarto num hotelzinho perto da estação — Anna o reservara para nós.

Anna e Daniel sempre viveram convencidos de que cada pessoa tem seu valor, quaisquer que sejam suas origens e fortunas. Panagiotis, porém, era um jovem grego sem dinheiro e envolvido com drogas. Não era o tipo de cara com quem os Keel gostariam de me ver.

Durante o dia, compramos heroína superpura. Sentamos na grama para uma primeira picada. Esperei sentir o efeito, mas nada acontecia, porque estava agitada demais. Então dei outra picada. Depois outra, mais outra e outra mais. Nesse momento, Panagiotis se assustou:

— Pare um pouco, já teve a sua dose.

— E o que você tem a ver com isso? — reclamei.

— Vai continuar com isso por quanto tempo? Quer dar o pulo ou o quê?

— Não, não sei, não consigo ficar legal.

— Dane-se, mas vai ter que parar com isso.

E quis tomar minha seringa. Forçando-me a abrir os dedos, machucou a minha mão. Explodi:

— Qual é, pirou? Compre seu próprio bagulho. Se o que quer é a grana e o barato, cai fora. Ou pelo menos me deixe em paz!

Inventei toda uma história, achando que ele não queria que eu ficasse legal. Muitos *junkies* procuram parceiros que não se piquem para evitar a guerra. Quem tem direito a quanto? Isso é meu? E isto, seu? Quando vai achar que chega? Estamos sempre desconfiando um do outro: como saber se o outro não se levanta à noite para usar um pouco da reserva do dia seguinte?

Não se pode confiar em viciados, mesmo nos que a gente ama. É triste, mas é o preço que se paga. Vive-se em perpétua desconfiança com relação ao resto do mundo.

Mas há casais que conseguem durar. Com Panagiotis, na verdade, as coisas ainda se passaram melhor do que com outros que conheci depois. Naquela noite, porém, perdi as estribeiras e foi um milagre eu não ter me furado toda de vez. Inclusive Panagiotis achou que não havia mais o que fazer. Deixou-me totalmente transtornada no Platzspitz e foi embora, direto para a estação. Queria pegar um trem, qualquer um, para ficar longe de mim.

Cegada pela droga e pelo orgulho, primeiro fiquei sozinha, completamente perdida, e continuei me picando para entender melhor. Mas de nada adiantava, e acabei me dando conta de estar perdendo o amor da minha vida. Levantei-me num salto e saí correndo atrás de Panagiotis, que estava sentado na plataforma da estação, esperando um trem para Viena, de passagem comprada. Não sei muito bem o que aconteceu no momento, só me lembro de ter feito uma cena hiperdramática, chorando como uma Madalena.

— Se esperar algumas horas — supliquei de joelhos –, faço as malas, partimos juntos e paro com essa loucura!

Ficava furiosa comigo mesma quando me drogava àquele ponto. Tinha jogado pela janela um monte de dinheiro, me comportado de forma deplorável e, ainda por cima, machucado e assustado o cara que eu mais amava no mundo. Realmente, eu podia ser horrível.

No último momento ele resolveu não ir, para tentarmos de novo nos manter juntos.

— Nunca me perdoaria se você morresse ali — disse.

Depois dessa dura experiência, Panagiotis e eu tomamos juntos o avião para Tessalônica, no norte da Grécia, onde morava a irmã dele. Ficamos trancados na casa dela por algumas semanas para nos desintoxicar. Ficou claro que não poderíamos continuar daquele jeito. Era preciso conseguir dar o passo. A irmã de Panagiotis nos recuperou com sopas e compressas frias. Dormimos quase uma semana inteira. À medida que a cura avançava, íamos nos sentindo melhor. Voltamos a estar apaixonados como no início e cheios de esperança no futuro: imaginávamo-nos em Atenas, com uma loja de tatuagem e uma casinha.

Fizemos amor algumas vezes. Nessa época, eu não tomava muito cuidado, pois era para mim uma forma da liberdade não tomar pílula. Em geral eu estava fértil no período da lua nova. Sabia disso e então sempre me virava para ter um diafragma nesses dias. Com o hábito, aprendi a sentir a progressão do meu ciclo, mas ele deve ter se desregulado. Não chegava a ser surpreendente, afinal eu estava completamente intoxicada duas semanas antes. Mais tarde, muitas vezes lamentei ter cuidado tão mal do meu corpo. Daquela vez, somente umas semanas depois fui me preocupar.

Tinha vontade de voltar à Suíça, porque nem tinha me despedido direito dos Keel, da última vez. Exatos dois meses depois daquela malfadada estadia, estava num avião para Zurique, com escala em Budapeste, quando bruscamente senti as piores dores na barriga que jamais experimentara. Voávamos há apenas meia hora. Tudo em mim se retraiu. As contrações antes do parto deviam se parecer com aquilo. Consegui ir até o banheiro e descobri que estava com uma hemorragia.

Não tive dúvidas e imediatamente entendi que se tratava de um aborto espontâneo. Estava em estado de choque e tinha ainda seis horas de voo pela frente. Mas não me sentia capaz de chamar alguém ou de me levantar, e nem faria isso, de qualquer maneira, pois era algo íntimo demais. O suor escorria pela testa e tudo escureceu. Uma coisa era certa: eu estava perdendo todo o meu sangue. Foi a impressão que tive. Para diminuir o estrago, coloquei meio rolo de papel higiênico no fundo da calcinha. Com o sangramento mais ou menos controlado, voltei à minha poltrona e pedi à aeromoça três vodcas com suco de laranja. E dormi, esgotada, acordando somente no momento de aterrissar em Zurique.

Anna tinha vindo me esperar no aeroporto. Assim que a vi, me joguei nos seus braços, chorando amargamente.

— Acho que fiz um aborto. Nunca sangrei tanto. Foi uma dor terrível, Anna.

— É uma crise histérica, isso sim — respondeu ela, e sua reação me deixou abalada. — Você é mulher e o ciclo menstrual às vezes dói, só isso — acrescentou enquanto andávamos para o carro.

Anna raramente se comportava tão friamente, mas ali era porque eu exigira demais dela. Naquele momento, além de estar mal, me senti terrivelmente sozinha. O aborto, o mau humor de Anna... Eu era a culpada de tudo aquilo. Depois, desmaiei bruscamente enquanto nos dirigíamos ao Honda Civic de Anna. Ela finalmente acreditou. Fomos de carro até o hospital, onde me deram remédios e me fizeram a curetagem. Foi bem difícil. Escolher não ter um filho não é o mesmo que perdê-lo. Nem bem havia chegado a Zurique e já me sentia tão mal quanto no dia da última partida.

Estava tão triste e com tanta raiva de mim mesma que fui procurar droga para esquecer tudo aquilo. Quatro horas depois, a polícia me pegou numa moita, sentada no chão de calça abaixada. Já havia injetado 2 gramas.

Sob efeito da heroína, tive a impressão de ainda estar sangrando e, no momento em que quis verificar, os caras apareceram.

— Perdi meu filho — expliquei.

Não havia, provavelmente, muita coisa que aqueles policiais já não tivessem visto, mas realmente devem ter se espantado com a cena:

— Vista sua calça — disse um deles. — Vamos levá-la para a emergência médica, onde vão cuidar da senhora e do seu bebê.

O serviço de emergência hospitalar me pôs mais ou menos de pé e a polícia voltou a assumir. Fui proibida de entrar em território suíço por dois anos.

Telefonei para Anna. Precisava de um ombro, de alguém que me abraçasse forte sem fazer perguntas. Ela veio me buscar, me levou para casa e cuidou de mim como uma mãe. Seu marido não estava sabendo de nada, provavelmente achou que eu estava apenas doente. Anna aguentava muitas coisas sozinha. Nunca vou esquecer o que fez por mim.

A verdade é que eu nunca quis pôr uma criança nesse mundo. É um mundo que não é bom para nós e eu não queria também ser uma mãe incapaz de plenamente assumir o próprio filho. Não queria ser uma mãe como a minha.

Se eu soubesse o que uma criança traz, não teria esperado tanto.

Mas isso estava fora de cogitação enquanto eu escolhesse homens que não valiam mais do que o meu pai. Não queria que meu filho tivesse um pai como o meu.

Depois disso, Panagiotis e eu quisemos nos estabelecer e abrir um negócio de tatuagem. Fizemos planos para que se formasse como tatuador em Berlim e compraríamos em seguida aparelhos e material de boa qualidade. Viajei para lá antes para preparar tudo, de forma que Panagiotis tivesse que ficar o mínimo possível em Berlim.

E o que fez, o idiota, assim que virei as costas? Tentou fazer um assalto. Com um amigo, viu uma mulher que acabava de sacar o equivalente a 8 mil marcos no banco. Quando saiu, eles foram atrás dela.

O plano era arrancar a bolsa e pular na garupa da moto do amigo. Mas a velha não deu mole e Panagiotis — era o seu primeiro roubo — foi incapaz de apelar para a força. A confusão estava formada e o comparsa fugiu, largando o amigo ali, que acabou preso.

Ficou preso por dois anos. E eu continuei com ele, por todo esse tempo. A cada quinze dias ia visitá-lo. Muitas vezes nem tinha permissão. Tive que morrer em alguns milhares de marcos para que tivesse um processo decente. É preciso um tremendo pacote de *fakelakis*, ou o juiz não move o dedo mindinho.

Precisei de mais mil marcos para poder visitar Panagiotis. Não éramos casados e quem não fosse parente não tinha direito de visitar o prisioneiro. O advogado se propôs então a comprar uma certidão falsa. É claro, precisávamos também de uma aliança. Ainda hoje de vez em quando uso-a na mão direita.

Há um só presídio em Atenas, mas enorme, com milhares de detentos. Fica em Korydallos, um subúrbio no lado oeste da cidade, conhecido no mundo inteiro por isso. Os prédios, projetados para seiscentos prisioneiros, eram superpovoados ao máximo. Às vezes reuniam mais de dois mil atrás das grades. Gerações inteiras de prisioneiros trabalharam ali, com ferros no pé, pois havia uma antiga pedreira. Ficavam alojados em dois edifícios, um para mulheres, outro para homens. Entre os dois, havia tendas transbordando de refugiados, na maioria africanos. Alguns nem cama tinham.

Na época, os prisioneiros precisavam conseguir pessoalmente que lhes enviassem comida, bebida, cigarros, dinheiro e tudo que fosse necessário. Caso contrário teriam que se contentar com uma sopa rala. A cada duas semanas, eu ia à prisão e renovava as provisões. Nesse período, precisei distribuir uma quantidade de dracmas. Panagiotis deixou de querer que usássemos apenas o seu dinheiro. Ajudava muito, naquele momento, que eu tivesse tanta grana, mas achava normal usá-la daquela maneira. Quem ama não faz esse tipo de conta.

Na mesma época, o irmão dele, Christos, também passou uma temporada na cadeia. Não era a primeira vez que plantava maconha para ganhar algum dinheiro. Só que daquela vez foi pego.

Quando não estávamos na prisão com os dois, Maria e eu nos mantínhamos juntas. Passei a fazer retiradas maiores das reservas de dinheiro na Alemanha. Maria se virava fazendo bicos como garçonete ou ajudante numa padaria, o que aparecesse.

Chegamos a trabalhar dias inteiros em campos de tomates ou de pepinos. Era duro fisicamente, mas bem pago. Dormíamos na casa de amigos ou conhecidos. Ou amigos de conhecidos. Os gregos são assim, uma grande família.

Mas Maria começou a falar de mim a Panagiotis. Contava qualquer beijinho que eventualmente, meio alta, eu tivesse dado em algum cara. As pessoas todas eram muito próximas e ligadas entre si, eu não fazia ideia.

Um dia ela me censurou por eu ter comprado um conjunto de duas peças vermelho com detalhes de oncinha. Achava egoísta da minha parte, não via por que eu estava querendo aquilo para sair, com Panagiotis mofando na cadeia. E ele concordou com ela.

Panagiotis deixou o presídio antes de Christos e passou de repente a se comportar como chefe da matilha, com duas fêmeas para cuidar. Quando fui à Alemanha para acertar umas coisas, com Christos ainda preso, os dois tiveram uma aventura, tenho certeza.

Na verdade, deveria ter percebido antes. Maria estava há dez anos com Christos, mas também gostava do irmão dele. Não me dei conta no início porque brigavam o tempo todo, medindo forças. Maria tinha prazer em provocar o cunhado e testar sua virilidade.

Ao contrário do irmão, Panagiotis era um verdadeiro homem de ação, que gostava de decidir sobre o curso das coisas. Um cara dos Bálcãs, na verdade. Maria adorava isso e um dia entendi: quem ama assim, castiga da mesma forma.

Mais tarde, percebi que não tinha a menor chance se batesse de frente com ela. Já de início por ser grega: sabia como se comportar (era inclusive vital) com caras mandões, mesmo que estivessem na prisão. Gostava que tudo girasse a seu redor e que tudo fosse feito em sua homenagem.

Aos poucos, fui perdendo o direito à palavra. Só mais tarde me dei conta. Um dia me vi sentada à mesa das mulheres, para que os homens se sentissem mais à vontade. Em outra ocasião, Panagiotis reclamou:

— Já bebeu uma taça de vinho, isso basta!

Estava cada vez mais insegura com relação a mim e às minhas decisões, com medo de perder quem eu amava. Ao mesmo tempo, me fazia muito mal ser tão medrosa. Tornei-me uma sombra, dependente de Panagiotis, mas sabia também que quem está sempre na cola de um cara perde todo o atrativo.

Quando Christos saiu da prisão, dois meses depois, sentiu imediatamente as tensões no ar. Primeiro tentamos retomar as coisas no ponto em que as tínhamos deixado. Panagiotis e eu continuávamos com a ideia da loja de tatuagens. Mas nada mais era como antes. Estava cheia de dúvidas, imaginava Maria conosco, tomando conta do caixa e transando com o meu cara quando eu não estivesse presente.

Vivíamos em família há quase sete anos e isso queria dizer que ajudávamos uns aos outros. E meu dinheiro também: era o que financiaria a loja e sustentaria todo mundo.

Já havíamos brigado demais e várias vezes eu quis acabar com tudo aquilo, voltando logo atrás em seguida. Uma dúzia de vezes fiz a viagem de ida e volta, até ficar em definitivo. Antes da estadia na Grécia, eu havia comprado um apartamento em Berlim-Neukölln. Foi para onde voltei e tentei uma nova cura de desintoxicação.

Talvez não tenha dado certo com Panagiotis por causa da droga.

Após as noites de crise ao chegar à Grécia, tinha me sentido superforte e certa de que Panagiotis poderia me ajudar a nunca mais chegar perto daquela tentação diabólica. É claro que não foi assim como tudo aconteceu. O combate ao vício sempre esteve entre nós, mas eu às vezes cedia e isso nos aproximava mais. Por seis anos procuramos, os quatro, nos ajudar mutuamente, mas por mais que nos desintoxicássemos juntos e onde quer que fôssemos para escapar do círculo vicioso em que caíamos com tanta facilidade, a droga sempre nos alcançava — frequentemente aos quilos, muito barata. Vinha da Turquia, que era bem ao lado.

Em 1993, quando voltei definitivamente para Berlim, acreditei firmemente que com as ilhas gregas eu deixava também o passado para trás. Não era mais exclusivamente "Christiane F.". Estava convencida de que sem Panagiotis, Christos e Maria, eu não voltaria a mergulhar nas drogas. Mas me aguardava o capítulo mais sombrio da minha vida. Pois não durou a decisão de me manter limpa. Comecei a me envolver com pessoas que frequentemente não eram capazes de fazer outra coisa além de se picar. Que estavam realmente no fim da linha.

Muitas vezes a causa de tudo isso não era apenas a heroína, mas o contexto social. Em determinado momento, mesmo sem a gente se dar conta, a vida passa a funcionar de tal maneira que nos leva sempre aos mesmos lugares e a repetir os mesmos comportamentos. E não me refiro apenas ao vício, mas também às outras coisas que sistematicamente nos fazem voltar à droga. Comigo, por exemplo, o problema no fundo de tudo isso é que não suporto estar sozinha. Voltei então aos meus antigos conhecidos do reduto, mesmo que não fossem realmente amigos. Eles tinham o mesmo tipo de ocupação, de problemas e de histórias a contar que eu. Tudo isso propiciava uma rápida aproximação, e a gente tentava chamar isso de amizade. Mas em geral não passava de uma relação utilitária que sempre acabava da mesma maneira, por causa de decepções acumuladas, de brigas em torno de alguns euros emprestados e que não foram devolvidos. Ou por um punhado de erva que alguém surrupiou. A gente se habituava a tudo, inclusive a ver morrer os companheiros.

Perdi dezenas de amigos, alguns deles sem que eu soubesse como. Só me lembro dos casos mais impressionantes. Principalmente as colegas que faziam casamentos arranjados com árabes, sem a menor preocupação: ele com isso ganhava a permissão de residência, e ela, a heroína.

Os caras vinham ao reduto e explicavam o que queriam. Sempre tinha uma para topar. Por exemplo minha colega de prisão, Liane Mayer, que era linda, com cabelos até a cintura, silhueta fina e grandes olhos azuis. Dava sempre seu nome de solteira, mas há tempos se chamava Al-Hamad. A maioria não sobrevivia a esse tipo de arranjo entre os *junkies*.

É evidente que o maior sonho de uma drogada é ir para a cama com o traficante. Mas ter acesso a um apartamento blindado de heroína, cozinhando um pouco e bancando a dona de casa é extremamente perigoso! No final de poucas semanas essas moças estavam em geral cobertas de feridas e completamente destruídas.

Eu mal conseguia suportar vê-las assim quando visitava uma ou outra com seu novo "marido". Uma delas, que chamávamos de Bibi, estava sentada à mesa da cozinha, com a baba escorrendo pelo canto da boca, incapaz de expressar outra coisa além de um grunhido, com se estivesse com febre. Podia me ver, mas não interagia. De olhos fechados, enrolava o cigarro com as duas mãos na mesa, pois mal tinha forças para erguer os braços.

— Ih! — exclamou quando as mãos acabaram escorregando da mesa e o papel, junto com o tabaco e tudo mais, caiu no chão, que já estava imundo, aliás.

"Ih!" era tudo que tinha a dizer. Nada mais.

Não me esqueci também de Martha: era uma boa mulher com um jeitão gótico, usava corpete e frisava os cabelos louros prateados. Tinha a pele muito branca e o tempo todo passava cremes. Morava num apartamento de andar térreo, num pátio interno em Innsbrucker Platz. Cortinas de veludo preto impediam que a luz do sol entrasse. O piso era coberto de tapetes escuros e centenas de velas derretiam no apartamento, que provavelmente tinha sido bonito antes, mas ali só causava constrangimento e dor.

Martha era a minha traficante. Assim que me sentava naquela sala, tinha uma única vontade: sair fora o mais rápido possível. Por medo da polícia e porque o ambiente era muito esquisito. Mas ela não conseguia contar as bolotas de heroína nem o dinheiro. Continuava grudada à mesa com o caviar — que um cliente havia dado em pagamento — escorrendo da boca. Caviar!

Estava o tempo todo picada demais para ser capaz de ir ao mercado, se alimentar, cuidar do seu negócio. Um amigo dela, chamado Kurt, não estava em melhores condições, e até eu ficava chocada vendo o estado daquelas duas criaturas destruídas pela heroína. Kurt tinha as unhas compridas, pintadas de preto como Marilyn Manson. Todas essas pessoas morreram desde então. De tanto se picar ou de não sei mais o quê. Morreram, só isso. Geralmente não se fazem perguntas, pouco importa saber como e quando. Afinal de contas, todos sabemos por quê.

8

Phillip, meu filho

Sebastian foi por bastante tempo dependente de heroína, e não era pouca. Foi na linha 8 que o vi pela primeira vez. Vendia jornais e dormia numa instituição da Solmstraβe para jovens sem-teto. Diariamente ia e vinha entre Wittenau e Gesundbrunnen, exatamente como eu, e era muito bonitinho, grande e magro, com cabelos escuros e olhos verdes-claros.

De início não ousei falar com ele, que tinha um jeito meio arrogante e não parecia interessado. Além disso, era dezoito anos mais novo e, naquela época, eu não me sentia muito bonita e nada sexy.

Pouco tempo antes, tinha feito um voo planado do alto do mezanino da Pflügerstraβe, numa noite em que estava muito doida. Havia tomado remédios para dormir e mais heroína, Mandrax e codeína. Um pouco de cada coisa. A cama tinha só uma proteção baixinha na lateral e caí dormindo. Dois metros e quarenta de queda livre e eu completamente chapada. Fiquei com o ombro direito e o braço em frangalhos.

Um amigo que estava na minha casa por uns dias chamou uma ambulância e fui direto para o hospital. Não podiam engessar braço e ombro, por isso me internaram em observação por alguns dias. Obviamente pirei, em crise de abstinência. Isso foi em 1995 e até então nunca tinha ouvido falar da metadona.

Antes, os médicos davam no máximo codeína como calmante, para quem estivesse querendo se desintoxicar na marra. Mas nessa época foram lançados os primeiros programas à base de metadona — e foi como comecei a substituição.

Quando me deixaram sair, marquei de ir a um consultório médico ou hospital que distribuísse metadona em ambulatório, para ter minha dose. Como não havia muitos médicos que atendessem nesse ramo, tinha que pegar as linhas 7 e 9 até Turmstraβe para ir ao hospital de Moabit.

Um dia, estava sentada na recepção e vi o vendedor de jornal bonitinho da linha 8 sair da sala de enfermagem resmungando: "velha bruaca". Não pude deixar de rir porque também a achava muito antipática. Hoje sei que na verdade todos os médicos especializados na substituição de heroína são desagradáveis e desinteressados pelo paciente como pessoa. Drogados e médicos formam uma relação puramente utilitária, em que uns são pagos e os outros recebem mais droga do que poderiam comprar. Só isso.

Então dei uma boa risada vendo a irritação do rapaz. Ele olhou para mim querendo comprar briga.

— O que tem de tão engraçado?

— Calma, ela também já pegou no meu pé. Por que está reclamando? — perguntei.

— Ela fica toda nervosa por causa de 17 mililitros — respondeu ela.

Minha cota era de 12 mililitros de metadona e também achava insuficiente.

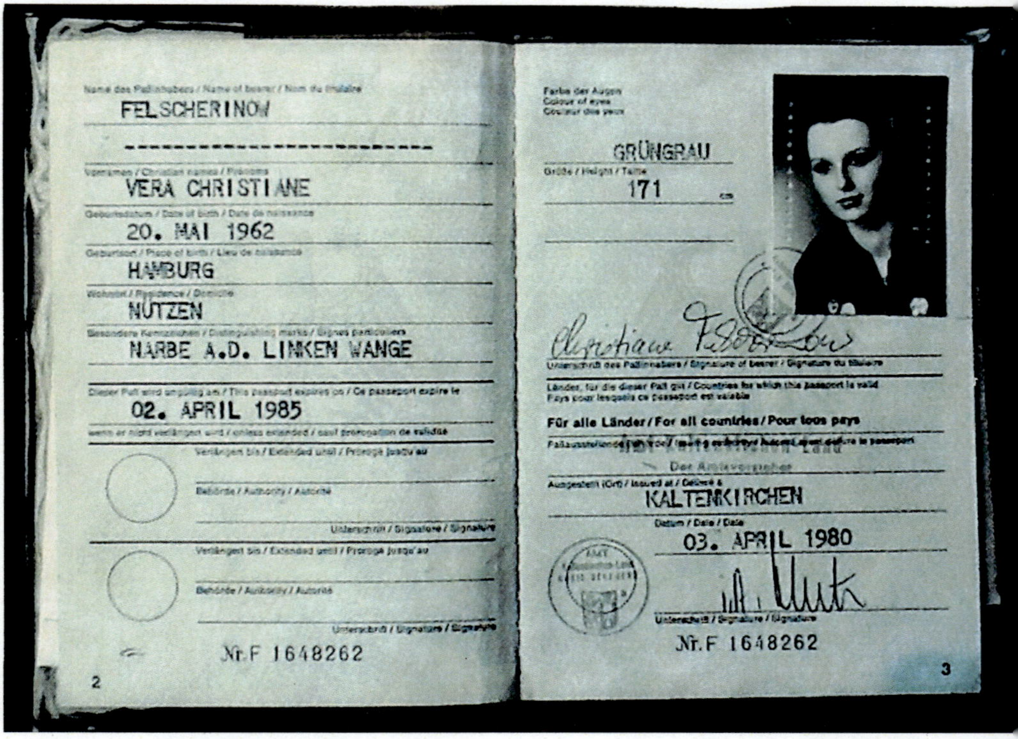

Name des Paßinhabers / Name of bearer / Nom du titulaire

FELSCHERINOW

Vornamen / Christian names / Prénoms

VERA CHRISTIANE

Geburtsdatum / Date of birth / Date de naissance

20. MAI 1962

Geburtsort / Place of birth / Lieu de naissance

HAMBURG

Wohnort / Residence / Domicile

NÜTZEN

Besondere Kennzeichen / Distinguishing marks / Signes particuliers

NARBE A.D. LINKEN WANGE

Dieser Paß wird ungültig am / This passport expires on / Ce passeport expire le

02. APRIL 1985

wenn er nicht verlängert wird / unless extended / sauf prorogation de validité

Verlängert bis / Extended until / Prorogé jusqu'au

Behörde / Authority / Autorité

Unterschrift / Signature / Signature

Verlängert bis / Extended until / Prorogé jusqu'au

Behörde / Authority / Autorité

Unterschrift / Signature / Signature

Nr.F 1648262

2

Farbe der Augen
Colour of eyes
Couleur des yeux

GRÜNGRAU

Größe / Height / Taille

171 cm

Christiane Felscherinow

Unterschrift des Paßinhabers / Signature of bearer / Signature du titulaire

Länder, für die dieser Paß gilt / Countries for which this passport is valid
Pays pour lesquels ce passeport est valable

Für alle Länder / For all countries / Pour tous pays

Paßausstellende Behörde / Issuing authority / Autorité ayant délivré le passeport

Der Amtsvorsteher

Ausgestellt (Ort) / Issued at / Délivré à

KALTENKIRCHEN

Datum / Date / Date

03. APRIL 1980

Unterschrift / Signature / Signature

Nr.F 1648262

3

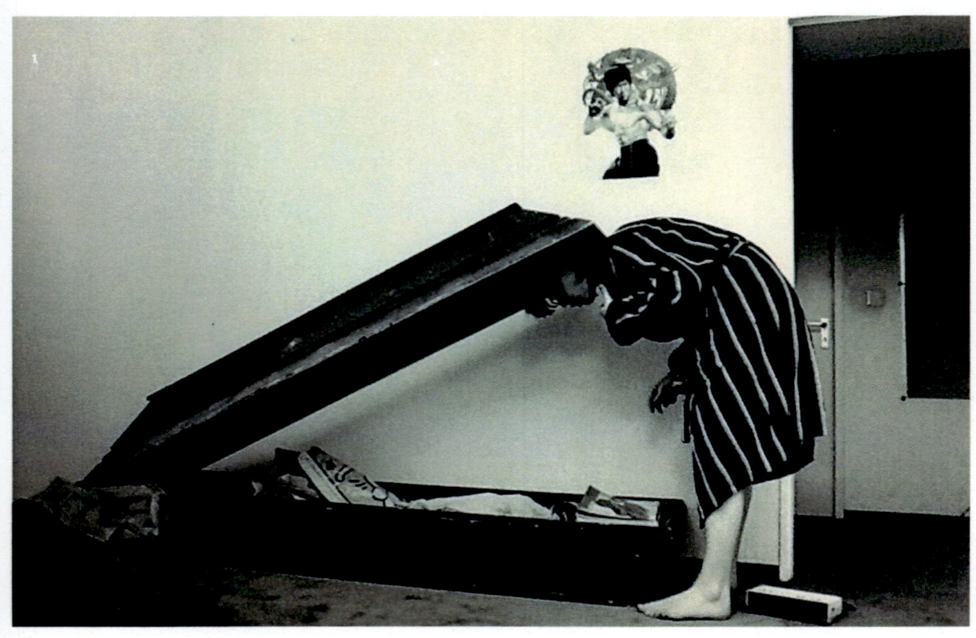

Christiane F., figura feminina do anti-herói e símbolo de uma geração, fotografada aqui por Klaus-Mayer Andersen para a revista *Stern*.

Estes negativos provenientes de arquivos pessoais mostram Christiane na casa de um artista americano especialista em instalações. Suas obras expunham principalmente animais mortos.

Christiane Felscherinow no começo dos anos 1980.

Christiane em 1981.

Foto tirada na filmagem do filme *Decoder*. Hamburgo, 1983.

Sessão de fotos pelo Sunset Boulevard para divulgação nos Estados Unidos do filme *Eu, Christiane F., 13 anos, drogada e prostituída.*

Christiane em frente a um cinema de Hollywood, onde estava sendo exibido o filme inspirado em seu livro.

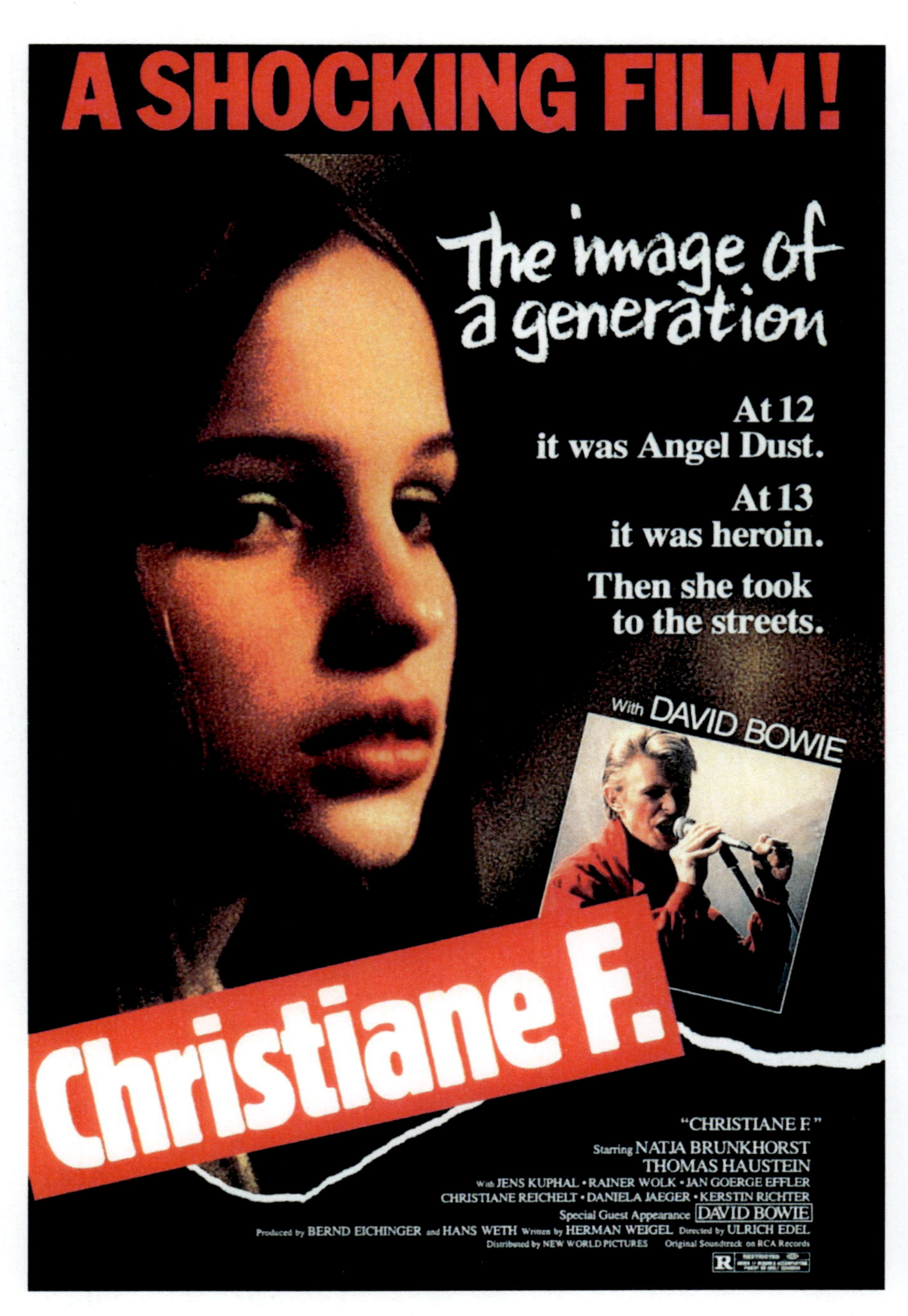

Cartaz do filme nos Estados Unidos, em 1981.

Em 1987, Christiane se instala numa cabana próxima a uma taberna, na ilha de Paros.

Autorretrato do grande amor de Christiane, Panagiotis, que aparece aqui como o chefe da pequena tribo com a qual percorreram as ilhas gregas.

O músico Gode Benedix, DJ da famosa boate *Dschungel*.

Desde muito pequena, Christiane conviveu constantemente com os cachorros. Sua paixão são as raças exóticas, como este Malamute do Alasca.

Christiane em Amsterdam, em 1989.

Após a queda do Muro de Berlim, Kottbusser Tor substituiu a estação do Zoo como ponto de encontro para circulação de drogas pesadas. Christiane frequentou muito o local, junto com fornecedores e outros usuários.

“Ter um filho foi a única coisa boa que fiz na vida.” Christiane deu à luz em 1996.

Christiane V. Felscherinow hoje em dia, fotografada por Marcel Mettelsiefen.

Hoje em dia, com 51 anos e depois de quase vinte de substituição, sei que é muito. Da maneira mais séria do mundo, Sebastian achava 17 mililitros insuficiente. Era o bastante para matar um cavalo. As mais altas dosagens de que ouvi falar são de 23. Com mais do que isso, até o *junkie* mais dependente e miserável passa dessa para melhor.

Sebastian e eu rapidamente ficamos loucos um pelo outro. Ele me contou sobre sua vida: tinha nascido na Baviera em 1972. A mãe era homeopata e o pai havia abandonado a família. Quando tinha 6 anos, outro homem entrou na vida da mãe. Três ou quatro anos depois, ele ganhou meios-irmãos e irmãs. Mas Alfred, o padrasto, e Sebastian não se suportavam, desde o início. Os dois formavam uma mistura explosiva sob o mesmo teto. Sebastian compensava a frustração e solidão fazendo todo tipo de estupidez. Exatamente como aconteceu comigo, os amigos se tornaram sua nova família. Mas não eram boa influência. Ele começou a fumar maconha e a testar um monte de drogas à noite, quase deixando de ir à escola.

Quando seu comportamento em casa se tornou incômodo demais, ele foi para a casa do pai biológico. Na verdade, só o conhecera dois anos antes, aos 15, e foi morar com ele, em Hamburgo. Os dois tiveram uma boa relação afetiva, e o pai o fez entender a gravidade de seu problema com as drogas. Mas os velhos hábitos estavam incorporados, e Sebastian voltou à Baviera e aos amigos. Depois de passar várias noites se drogando, acabou aceitando o que o pai havia dito e procurou as melhores clínicas do país especializadas em desintoxicação. Depois de quase um ano de tentativas, foi finalmente admitido como paciente em Grunewald. Um ano mais tarde, já sabia quase tudo sobre os efeitos da droga e sobre os mecanismos da dependência. Até aí, tudo bem. Mas, quando teve permissão para sair, sozinho no mundo e sem ter a menor ideia do que fazer da vida, viu-se de novo na rua. Sem dinheiro, sem lugar para morar, sem objetivos. Em muito pouco tempo estava de novo mergulhado no vício.

Todo mundo, é claro, detesta isso. Não conheço um *junkie* que se sinta contente de voltar. É preciso mentir tanto para tanta gente que você acaba ficando bom nisso. Mas a principal vítima dessas mentiras é você mesmo. "É a última vez." "Só mais uma vez." E no fundo o drogado sabe que algo em si mesmo e na sua vida não bate bem.

Mas a ideia da mudança assusta demais e com isso você se atola uma vez mais para esquecer toda aquela merda. Uns aprendem a viver com isso, outros morrem. Há uma linha tênue entre os dois.

Não sei dizer exatamente o que faz essa distinção. O importante é não deixar que a vida se passe única e exclusivamente em torno da droga, que você não pense somente em droga, em conseguir droga e em consumir droga.

Quem não tem esse tipo de problema simplesmente não consegue compreender. Quando duas pessoas têm experiências em comum, as coisas entre elas se passam com mais facilidade. A maior parte daqueles que não conhecem o que vivi não conseguem me entender. Como alguém que cresceu mimado e protegido, que sempre pôde contar com os pais, vai entender que eu desconfie mesmo de quem amo? Sei por experiência própria que os que estão mais próximos de mim são os que mais podem me machucar. Como compreender algo assim, como alguém que nunca viveu nada parecido pode interagir com minha angústia? Somado a isso, como eu mesma poderia estar com alguém assim?

Meus relacionamentos com Gode e Alexander tinham mostrado que isso não dava certo e eu já havia sofrido o suficiente. Sebastian e eu estávamos tão loucos um pelo outro porque nos encontrávamos na mesma situação e sabíamos disso. Mas perceber que além do passado semelhante não tínhamos, afinal, grandes coisas em comum também machucava muito.

Apesar da sua situação, Sebastian se cuidava. Tomava banho na minha casa ou na Solmstraβe. Eu me sentia bem vendo um rapaz bonito como aquele interessado em mim. Mas na verdade ele raramente estava presente. Era a época das raves. Sebastian descoloria os cabelos, usava roupas fosforescentes e ia a festas que não terminavam nunca. Dançava na Love Parade e incendiava a boate. Tinha seus próprios truques contra o cansaço.

Phillip foi gerado em janeiro de 1996. Quando vi que estava grávida, pensei: "Já que fui estúpida o bastante para não tomar cuidado, tenho mais é que assumir as consequências!" Estava fora de cogitação fazer outro aborto. Tinha 33 anos e, mesmo sem ter planejado, achei ser uma das minhas últimas oportunidades de ter um filho.

Além do mais, estava limpa; o que mais poderia querer? Tinha todas as condições que precisava. Não se deve também ser mãe jovem demais.

Do início ao fim da gravidez, as laricas e os enjoos brigavam para ver quem ganhava. Pela manhã me sentia mal, à tarde corria para comprar picles, arenque ou ovos marinados. Depois meu estômago resolvia se livrar de tudo isso e o equilíbrio eletrolítico voltava a ficar de cabeça para baixo porque eu vomitava e tinha novamente vontade de me empanturrar de alimentos ácidos e salgados.

Foram nove meses difíceis. Fiquei aliviada de ver que, no final, ganhei apenas 1 quilo a mais além do peso do bebê. De repente, fiquei cheia de sardas — os hormônios estimulam a pigmentação em algumas mulheres — e minha pele ficou incrivelmente sensível. Sentia a mais leve brisa, o menor sopro de vento.

Realmente não posso dizer que eu era uma futura mamãe entusiasmada. Tentava não me empolgar com a ideia de ter um filho, com medo de que alguma coisa desse errado. O que faria se estivesse morto? Também não queria pensar em como se chamaria. Pois é, nem procurei saber se era menino ou menina.

Não fiz ginástica nem qualquer um desses exercícios preparatórios para o parto, apesar de certa insistência de Sebastian.

Mulheres têm filhos há milhões de anos sem precisar de toda essa lenga-lenga. Para mim, o essencial era conseguir descansar e proteger minha barriga. Estava o tempo todo afastando as pessoas que estivessem perto demais para que não esbarrassem. O médico que fazia a substituição então me propôs um acordo: tentar parar com a metadona. Mas eu tinha medo de que as coisas de repente se complicassem na minha cabeça e eu desandasse a fazer besteiras. Depois de conversar, apenas tiramos 1 mililitro da minha dose na clínica de Virchow.

Num domingo, acordei com uma dormência no ventre. Mas não corri para o hospital porque tinha visto uma mulher com contrações irregulares e que duas vezes fora mandada embora. Inacreditável! (Ela não tinha dinheiro suficiente, faltava lugar ou não sei o quê. Achei a atitude do hospital realmente horrível, pois quem está grávida pela primeira vez não sabe exatamente o momento certo de dar à luz. Precisava apenas de um apoio e foi mandada embora!)

Depois de me levantar, procurei minha irmã Anette. Ela perguntou:

— As contrações são regulares?

Não, não eram regulares, mas, quando vinham, davam a impressão de que me partiriam ao meio. E cada uma trazia um fluxo de adrenalina que me fazia falar sem que eu conseguisse parar.

Ao mesmo tempo, tentei entrar em contato com Sebastian. Ele tinha uma espécie de pager, como o que os médicos usavam. Quando finalmente me telefonou à noite, estava numa cabine de telefone não muito distante da Tresor, uma das boates techno mais conhecidas da Alemanha. Perguntou:

— Preciso ir?

Ouvindo a sua voz, tive a impressão de que havia tomado alguma coisa. Seria realmente o caso? Não sei. De qualquer maneira, não queria que estivesse por perto naquele estado e respondi:

— Não, tudo bem. Só liguei porque não estava me sentindo muito bem.

Depois disso as contrações pararam.

No dia seguinte, voltei à ginecologista, que fez um ultrassom. O consultório estava perfeitamente tranquilo. Eles me deixaram deitada por um momento, e eu ouvia apenas o zumbido da máquina e as batidas do coração do meu bebê. Sentia-me numa nuvenzinha e era tão agradável que dormi.

Quando voltei para casa, Sebastian tinha enfim chegado e dormido um pouco. Como raramente estava ali, começamos logo a nos agarrar e fizemos sexo anal. É ótimo quando se está grávida. Mas depois tive imediatamente vontade de chorar, me dando conta de que Sebastian e eu estávamos longe de formar uma família. E aí as contrações começaram de verdade.

Como tínhamos ido para o mezanino, fui meio que escorregando pela escada. Doía demais para descer normalmente. Enquanto isso, Sebastian dormia. E comecei a fazer coisas estúpidas porque a dor estava me enlouquecendo. Deixei a cabeça no chão e colei a bunda no alto do sofá de couro. Não queria que o neném saísse.

— Por favor, fica aí dentro. Não sei o que fazer. Por favor, não venha agora. — Eu não parava de gritar e chorar.

Agarrei-me tão forte no sofá que quebrei todas as unhas.

Depois, com a bolsa já rompida, acabei jogando alguma coisa na cama e gritando com Sebastian:

— Acorda, que inferno! Estou morrendo!

Só aí ele chamou a ambulância. Às nove horas do dia 24 de setembro. Fui levada para um hospital de Neukölln.

O médico não parava de avisar a Sebastian:

— Não posso cuidar de dois pacientes ao mesmo tempo, rapaz. Você está bem pálido, sente-se um pouco.

Mas Sebastian foi corajoso. Com minhas veias maltratadas por tantas picadas, as enfermeiras tiveram muita dificuldade para aplicar a agulha e tudo doía ao extremo. Sebastian estava de pé ao meu lado e, enquanto elas procuravam desesperadamente um lugar no meu braço para a aplicação, ele segurava a minha mão e enxugava a minha testa. Eu suava como louca e gritava sem parar:

— Sebastian! Sebastian!

Doía muito. Tudo aquilo foi demais para ele. Realmente não aconselho a mulher nenhuma que leve seu homem como acompanhante à sala de parto. Não é bom para nenhum dos dois, porque forçá-los a ver tudo aquilo é uma verdadeira tortura. Além de ser muito constrangedor. Fiquei terrivelmente envergonhada que me visse sendo costurada por dentro.

Em duas horas, estava resolvido. Mas aquelas dores, nunca mais! Não conseguia expulsar o neném e tinha a impressão de que meus olhos iam saltar das órbitas. Não fui nada corajosa. Acabaram tendo que retirar a força, pois sozinha eu nunca teria conseguido. Ele tinha 46 centímetros e pesava 2,8 quilos. Era minúsculo e nada amarrotado como tantos recém-nascidos. Desde os primeiros instantes, Phillip era muito bonitinho. No momento em que o vi e ele berrou ao perceber a luz, fui a pessoa mais feliz do mundo.

Não existem palavras que possam descrever isso. Aquele minúsculo ser que estava ali precisava de mim. Nada mais importava. Dei um nome composto, sendo um deles Phillip. Por causa de Philipp Keel de Zurique, só que escrito de maneira diferente.

Depois do parto, permaneci no hospital por uns dias. Era inexperiente demais para ir logo para casa, tinha que aprender certas coisas. Phillip foi um bebê adorável e muito tranquilo. Nada estressante. Estar com ele era pura felicidade. Poderia cuidar de três ao mesmo tempo. Detesto ouvir mães contarem o quanto os filhos as estressam. E, sem a menor ternura, soltarem pérolas do tipo:

— Quando você dá isso ou aquilo, ou faz o que ele quer, a lembrança fica e ele vai sempre querer que faça o mesmo.

Ora, são bebês! Vão querer que acredite que uma minhoca desse tamanho possa ser tão manipuladora? Que chore só para me irritar?

São pessoas assim que ensinam aos filhos que a vida é uma constante luta. Que nada se ganha sem esforço e a tudo se deve fazer por merecer, inclusive o afeto. São essas crianças que crescem e vão estar sempre vigiando o que os outros têm, com medo de tudo. Que se acham sempre fadadas ao fracasso. O mais importante é ensinar ao seu filho a confiar em si mesmo e nos que estão a seu redor. Ensiná-lo a dizer: tudo vai acontecer da melhor maneira. Para isso, é preciso começar não deixando que o bebê arrebente os pulmões só para ter o que comer.

E é exatamente o que digo para alguns pais:

— Seu neném está chorando, vá ver.

— Não, é melhor que chore. Se eu for, ele vai achar que vou até lá toda vez que reclamar.

Acho isso cruel demais. É de se esperar que a mãe dê pelo menos uma olhada quando o filho chora. É por isso mesmo que está chorando! Mesmo entre os animais é o que fazem todas as mães, inclusive à noite. Mas há mulheres que aprenderam com suas próprias mães que devem dormir bem para poder cuidar direito da criança. É horrível. Nunca agi assim.

Sempre acordei antes de Phillip. Em certa época havia notado que ele sistematicamente chorava entre uma e duas horas da manhã. Tinha fome e, ouvindo, eu nem precisava olhar o relógio. Depois de compreender isso, deixava a mamadeira pronta para entrar em ação quando necessário. Saía da cama à meia-noite e meia, esquentava o leite e tudo ficava ao meu lado, esperando o chamado. Com ele satisfeito, voltava a paz e todo mundo dormia tranquilamente. Não amamentei, sobretudo por medo de repassar algum resto tóxico no meu leite.

Depois de ser mãe, fiz várias coisas pela última vez na vida. Me prostituir, por exemplo. Foram só duas vezes, desde a época da estação do Zoo. Numa delas, pouco tempo depois do nascimento de Phillip, Sebastian me arrancou o neném do colo durante uma discussão. Não reagi para não correr o risco de machucá-lo. Fui largada sozinha no meio do parque de Hasenheide com somente 5 marcos no bolso. Resolvi então ir até um argentino que havia na esquina para tomar uma cerveja e tentar me acalmar.

Mas então passou um cara louro de cabelos compridos, num Mercedes vermelho-vivo. Causou uma boa impressão e, visivelmente, eu a ele. Parou o carro e transamos no banco traseiro. Ganhei 50 marcos com isso.

Depois fomos a um bar e ele me pagou alguns *Southern Comfort* e, lá pelas tantas, perguntou:

— Que tal outra?

Dei de ombros:

— Pode ser. Mas detesto transar quando estou alta.

Fiz isso, é claro, mais para me vingar de Sebastian. Na manhã seguinte, estava de volta em casa.

Ficamos ainda algumas semanas juntos. Por causa do neném. Tentamos dar um jeito, mas Sebastian era novo demais e não podia assumir aquelas responsabilidades.

Com seis semanas, Phillip quase morreu. Começou a tossir muito, sem parar. Já passava o tempo todo no pediatra, por causa da quantidade de exames que todo recém-nascido faz. É uma vacina aqui, um exame de sangue ali, e controles de tamanho, de desenvolvimento, de metabolismo. Tudo que eu fazia era me ocupar daquela coisinha.

Phillip era um bebê muito calmo, mas também acontecia, é claro, de acordar, gritar, chorar, ter fome ou sede. Certa noite, porém, foi diferente, e ele começou a tossir e a se engasgar. Peguei-o no colo, colado ao meu ombro esquerdo como fazia sempre e andei de um lado para outro no quarto, saltitando às vezes para ver se aquilo passava. Mas estava piorando e seria impossível pregar o olho.

De repente tive a impressão de que Phillip não estava conseguindo respirar e o corpo dele ficou azulado. Peguei correndo cobertor, mamadeira, carteira do seguro médico, toda a documentação e corri ao pediatra o mais rápido possível. Sabia que na porta do consultório teria um cartaz indicando o endereço de um médico de plantão. Sorte nossa: não era muito longe.

Quinze minutos depois, invadi o consultório com o carrinho abarrotado, gritando apavorada:

— Meu filho está com coqueluche, ajudem por favor, está sufocando!

Nunca, em tempo algum, se deve arriscar um diagnóstico diante de um médico. Aprendi nessa ocasião.

— É uma bronquite. A senhora mora em Neukölln e esta região está cheia de recém-nascidos na mesma situação. Estamos no outono, é uma epidemia — disse o médico depois de examinar meu bebê por dois minutos.

Era um homem com mais ou menos 40 anos, de cabelos curtos, louros e agrisalhados, bem magro. Fitava o vazio com uma expressão indiferente por cima dos óculos sem armação, encostando o estetoscópio no peitinho de Phillip. Não me olhou uma única vez, apenas assinou a receita sem uma palavra; prescreveu um xarope para a tosse e remédios para abaixar a febre. E nos mandou embora.

— Ele vai ficar bem — garantiu. — O próximo, por favor.

Eu queria muito acreditar quando o médico disse que Phillip não tinha nada de grave. E ele de fato ficou melhor por alguns dias, mas depois voltou a tossir da mesma maneira. É terrível para uma mãe ver seu bebê sacudido pela tosse e não poder fazer nada. Eu dava o xarope e vigiava como se vigia leite no fogo, indo o tempo todo ao berço para verificar se não estava ficando azul de novo.

Não queria também me tornar uma dessas mães paranoicas que correm ao pediatra por qualquer coisa. Com a fama que tenho, todo mundo, de qualquer maneira, pensa logo o pior de mim, sobretudo os médicos. É assim que as coisas são, e tenho que levar isso em consideração.

Nunca me senti tão impotente. Phillip tossia a cada inspiração e de novo não o ouvia mais respirar. Corri diretamente ao médico de plantão, pois de novo era noite. Mais uma vez, mandou-me de volta com alguns remédios:

— A crise dura de uma semana a dez dias, mas depois tudo entra nos eixos — disse o grosseirão me dando alguns tapinhas no ombro, como se eu fosse uma garotinha que acabara de fazer uma besteira.

Ele havia injetado algo no neném que de fato o acalmou um pouco. Mas, no dia seguinte, quando Phillip ficou totalmente azul, fui diretamente ao serviço de apoio à infância.

— Façam alguma coisa, os médicos não me levam a sério. Precisam me ajudar, meu filho precisa de um tratamento sério. Está com coqueluche. Sei porque também tive quando era bebê e minha mãe me contou. Façam alguma coisa!

Uma mulher da assistência social nos levou ao hospital. Lá Phillip foi imediatamente deixado em quarentena e ligado a um monte de tubos e máquinas para controlar o coração e a respiração. Diagnóstico: coqueluche!

Armaram uma cama para mim, um desses negócios que despencam para frente ou para trás assim que a gente muda de posição. De qualquer forma, eu mal conseguia fechar o olho, como poderia dormir? De vez em quando, as pálpebras caíam sozinhas — quando isso acontecia eu me esticava um pouco na cama de armar.

Várias vezes acordei com o alarme que disparava quando Phillip tossia. Dava um pulo de 2 metros, de tanto que aquilo zumbia nos ouvidos. É um barulho horrível. Eu pegava meu filho e batia de leve nas costas dele para que pudesse respirar. Tinha visto as enfermeiras fazerem e não era complicado.

— Respira, filhinho! Vamos, respira!

E foi assim por uma semana. Pouco a pouco as coisas se arranjaram. Não faço ideia de quantas crianças foram contaminadas naquele consultório por causa do pediatra que não me deu ouvidos.

9

Sequestros

Com Phillip, o apartamento da Pflügerstraβe rapidamente mostrou suas limitações. Nada havia além do mezanino, o qual podia machucar um bocado se alguém sofresse uma queda. Eu então dormia no sofá de couro e o bebê, no berço. Mas ele cresceu. E eu precisava de ajuda e também precisava conversar com outras mães. Em 2000 me mudei então para Spandau, graças a um programa administrado pelos serviços sociais, reservado às mulheres que seguiam um tratamento de substituição.

O programa ocupava um edifício inteiro, com apartamentos de quarto e sala, alugados por 350 euros mensais. Havia apenas quatro banheiros para dezesseis mulheres e vinte crianças — tínhamos inclusive que atravessar o pátio interno para usar o chuveiro e fazer nossas necessidades.

Após poucos meses as disputas entre os moradores começaram a me dar seriamente nos nervos. Rolavam brigas o tempo todo. Quem vai limpar isso e quando? Como organizar o lixo? Pode-se usar para a louça a mesma esponja que foi usada para os sapatos?

Mulheres precisam ter seu próprio canto, seu território pessoal. Não funcionam de outra forma. Para mim não foi possível.

E Phillip ia fazer 6 anos. Já era tempo de partir. Comecei então a procurar um apartamento. Como minha mãe morava em Stahnsdorf, não muito longe de Teltow, com o terceiro marido, achei que por lá teria a calma de que precisava.

Circulamos de carro pela região e acabamos descobrindo um lugar recém-construído e ainda inabitado. Liguei para um número de telefone que havia numa janela. Quatro semanas depois estava me mudando para um quarto e sala novinho em folha, em cima da Casa das Belas Coisas, uma lojinha em frente ao ateliê de Markus Lüpertz. Os vizinhos e o proprietário eram simpáticos, o local era limpo, o apartamento tinha 60 metros quadrados, com cozinha integrada e janelas de vidros duplos. E Phillip, é claro, teria um quarto só para ele, à esquerda da entrada, ao lado do banheiro.

Em Teltow, passei certo tempo sem metadona. A dosagem tinha sido reduzida a 1 mililitro, ou seja, quase nada. De vez em quando eu fumava um baseado. Em geral fumava abertamente, sem esconder de Phillip, e concretamente acho que com isso afastei dele o gosto pelo proibido. Nunca perguntou se podia também dar uma tragada. Nem cigarros ele fuma.

Confesso que, quando encontrava velhos conhecidos no caminho que fazia indo ao médico, eles tinham heroína para cheirar e, infelizmente, nem sempre neguei. Mas não era frequente.

O que a maior parte das pessoas não compreende é que não se volta à dependência com uma simples picada ou uma simples cheirada. No início não tem problema, é assim mesmo. Só depois que as coisas se decidem e você se torna *junkie* ou apenas alguém atravessando um mau período. No meu filme, a frase "está sob controle" se tornou o bordão de todos que estavam mais na merda do que queriam admitir. E, sem dúvida, é como se passam as coisas. Mas, para quem já é *junkie*, com dez, vinte anos de heroína, já tendo enfiado pra dentro todas as merdas possíveis e imagináveis e passado por dezenas de desintoxicações, não vai ser uma cheirada que vai te fazer cair da cadeira. Não é a mesma coisa para quem tem a vida inteira girando em torno da droga e para quem a droga só acompanha perifericamente.

Graças a meu filho, perdi o hábito de ser pássaro da noite. Sabia perfeitamente que de manhã cedo ele ia estar de pé, ia querer seu chocolate e, nos finais de semana, seus desenhos animados. Aos sábados estava acordado a partir das seis e meia, querendo de qualquer jeito assistir *Tom e Jerry*, *Ursinhos Carinhosos* ou *Power Rangers*. Nunca achava cedo demais, mesmo que não estivesse completamente desperto. E se eu me espantasse:

— Mas Phillip, não está cansado?

Ele me olhava surpreso e respondia:

— Não, mas se você estiver, pode voltar pra cama!

As crianças são tão bonitinhas entre 2 e 7 anos! Depois disso os meninos ficam brigões e as meninas se acham princesinhas, o que é tão chato quanto. Mas à noite, todos são bonitinhos. Ficávamos sempre nos fazendo carinho, até Phillip estar grande demais para continuar querendo isso. Quando dormia vendo desenho animado, eu o pegava no colo e levava para a cama, para uma sessão de cafuné. Ele acordava e pedia:

— Mamãe, me prepara um chocolate?

É claro que me levantava, mesmo que ele fosse estar dormindo quando voltasse com a xícara. Sobrava para mim tomar o chocolate, e até hoje gosto.

A gente se sente útil quando tem uma rotina assim. Ter um filho me fazia bem, fazia de mim uma pessoa melhor. Deu-me vontade de viver durante o dia, respeitar horários, ser confiável, coisas que eu conhecia e sabia cumprir antigamente, pois havia aprendido na escola e durante minha formação, mas de maneira bem diferente. Tudo isso passava a ter muito mais sentido, e o meu ganho era enorme. Phillip foi o mais belo presente que a vida me deu, formávamos uma ótima dupla.

Na minha função de mãe eu me obrigava a começar bem o dia. Não queria que acontecesse com ele o mesmo que aconteceu comigo quando era pequena, no maternal ou no primário. Às dez para as sete nossa mãe abria brutalmente a porta do meu quarto e do de Anette: todo mundo de pé! E no restante da manhã meus pais não se preocupavam mais. Mamãe se preparava para ir ao escritório em que trabalhava como secretária, na Axel Springer, e papai em geral ainda estava bêbado ou de ressaca. Nós mesmas tínhamos que preparar tudo. Não sabíamos o que era levar um lanche para a escola. E também o que era um carinho na cama, por parte de mamãe. Tivemos uma infância solitária e não queria o mesmo para Phillip.

Por isso tentava fazer com ele o máximo de coisas juntos. Inclusive a limpeza da casa. Desde pequeno ele aprendeu a arrumar suas próprias coisas. E isso só funcionava se fosse engraçado: eu jogava um monte de roupa limpa em cima do colchão e deixava que ele pulasse em cima; dobrasse e arrumasse tudo. Em seguida, virava uma competição:

— Vamos ver quem se sai melhor!

É como se deve ensinar coisas às crianças: de maneira lúdica. Todo dia tomávamos o café da manhã juntos antes de ir à escola — até os 10 anos de idade, pois depois ele passou a achar chato ser visto com a mãe. E fiquei contente, pois significava que os amigos tinham importância. Teria feito exatamente a mesma coisa no seu lugar: ser visto com a mãe aos 10 anos não fica bem. Não era tão fácil para Phillip fazer amigos. Não por causa dele, até porque era mais do gênero calmo, discreto e silencioso. E sim por minha causa.

Na época em que ainda morávamos em Spandau, alguns pais que sabiam quem eu sou proibiam os filhos de brincar com Phillip. Isso me doía muito e a ele também, é lógico, mesmo que me defendesse e os chamasse de "débeis mentais" e "pobres coitados". Estávamos bem contentes de que as pessoas fossem um pouco mais tolerantes naquela parte do Brandeburgo, mas provavelmente isso se devia ao fato de que meu livro não tinha sido vendido na Alemanha Oriental e eu não era nada conhecida por lá. Além disso, nesse meio-tempo aprendemos a não dizer a qualquer pessoa que a nova vizinha, Christiane Felscherinow era "a moça da estação Zoo". A franqueza nem sempre compensa, eu sabia desde criança, porque meu pai, toda vez que eu confessava alguma besteira, me dava surras terríveis.

Em Teltow, algumas famílias souberam nos conhecer melhor e quando Phillip passou a jogar no TSV Teltow, elas se deram conta de que não éramos tão horríveis. Meu filho, como muitos outros meninos, se apaixonou por futebol na Copa do Mundo de 2006, na Alemanha. Com uma frequência bem maior do que em Kotti, passei a ir ao ginásio esportivo de Teltow, bem ao lado de onde morávamos, para incentivar.

Quando os companheiros ou amigos de Phillip dormiam em casa, eu ficava muito contente por ele e preparava batatas fritas e pizzas, deixava que construíssem cabanas com cobertas e cadeiras, bem no meio do pequeno apartamento. Podiam gritar e correr por onde bem entendessem — nada era tão grave, contanto que se divertissem.

Era ótimo, só que a treinadora batia à minha porta e entregava as roupas do jogo imundas para eu lavar. As 11, inclusive as caneleiras. Primeiro pensei que seria um inferno, mas depois passei a lavar com prazer, pois os pais se revezavam e fazia parte do espírito comunitário.

Tinha orgulho de Phillip, inclusive por enfrentar impavidamente as tremendas e repetidas derrotas de seu time. A maioria dos jogos terminava com um placar de dez a zero. Ele jogava entre os juniores E e os meninos — é normal nessa idade de 10, 11 anos — o tempo todo entravam de carrinho para roubar a bola do adversário. Queria incentivar Phillip e era por isso, claro, que lavava os uniformes do time, cheios de lama.

Infelizmente a treinadora teve que parar, por razões pessoais, e houve certa demora até chegar quem a substituísse. Phillip perdeu o ânimo e, no lugar, tirou uma licença de pesca.

Um dia, uma funcionária do serviço social tocou a campainha. Conhecia-me do programa de substituição e queria saber como íamos, meu filho e eu.

— Está tudo ótimo, obrigada.

Depois perguntou se eu não gostaria de contar com um assistente familiar.

— Se for um homem, pode ser bom. Tenho medo de que falte uma referência masculina quando Phillip for maior. Por enquanto tem 6 anos e já quer subir em tudo que é lugar e brigar. Daqui a pouco na certa vai querer patinar no gelo e ir ver futebol no estádio olímpico. Acharia ótimo que um homem fizesse essas coisas de menino com ele e servisse de modelo.

E assim, em 2005, Thorsten, um cara nem alto nem baixo, cabelos mais ou menos louros e que era mais ou menos divertido, entrou em nossas vidas. Após duas ou três semanas e alguns formulários de apoio à infância preenchidos, ele veio nos ver pela primeira vez — e não foi absolutamente como eu tinha imaginado.

Ele se sentava à mesinha da cozinha e perguntava como tudo estava indo. De duas em duas ou de três em três semanas vinha nos ver e nada fazia além de perguntas a mim e a Phillip. Era simpático, mas sem propor construções com Lego, patinações no gelo ou idas ao estádio. Acho que só uma vez foi assistir a uma partida de futebol com meu filho.

Dois anos depois da aparição do assistente familiar, conheci Dragan, um sérvio superbonitinho e charmoso, num café da Oranienstraβe. Devia ter na época cerca de 35 anos, ou seja, mais de dez anos a menos que eu — sempre me relacionei com homens mais novos. Todos, menos Panagiotis. E Dragan também vinha dos Bálcãs, o que me agradava. Era o primeiro homem com quem saía na última década, mais ou menos.

Até ali, não havia lugar na minha vida para outro homem além do meu filho. Mas a parte mais trabalhosa estava feita e, passado tanto tempo, tive de novo vontade de namorar. Como tudo estava indo bem, acabamos conhecendo nossos amigos recíprocos. E entre os de Dragan, havia Beckermann, que era magro e da mesma idade que ele, com cabelos louro-escuros.

Na verdade, não se chamava realmente Beckermann e era uma das raras pessoas que conheci das quais ainda tenho medo. Por isso não dou seu verdadeiro nome. É um mau-caráter.

Beckermann é filho adotivo de um chefão das drogas berlinense com péssima reputação. A mãe tinha sido paga para se casar com o padrasto, que era libanês — não sei se continua vivo — e precisava legalizar a residência na Alemanha. Na época, nos anos 1970 e 1980, era mais fácil do que hoje em dia fazer um casamento desse tipo.

Beckermann era criança quando foi adotado e, como todo pai, o libanês ensinou o que pôde. Não sei se a mulher estava a par do seu negócio. Eu, em todo caso, só soube tarde, tarde demais, de qual meio vinha Beckermann.

O padrasto era uma referência no mundo berlinense da cocaína e das metanfetaminas. Com isso tinha enorme poder, visto que, ao contrário da heroína, que é a droga do povo, a cocaína é a dos deputados do Bundestag, dos produtores de cinema, dos músicos e dos advogados — sei por experiência própria, adquirida durante as filmagens de *Eu, Christiane F., 13 anos, drogada e prostituída*.

Beckermann era um usuário crônico, mas, de início, não notei. Diariamente cheirava e inclusive perguntava a Phillip, que me contou mais tarde, se não estava com restos de "neve" no nariz. Como a coca é branca, muitos a chamavam de neve. Isso, porém, o menino de 11 anos não sabia ainda, graças a Deus. Achava que Beckermann perguntava apenas se o nariz não estava sujo. É um ator dos mais competentes. Pode enganar as pessoas em volta de maneira alucinante, representando o sujeito bem correto, em quem se pode confiar, e encantando as pessoas para roubá-las. Foi o aconteceu entre nós.

Dragan começou a estar cada vez menos presente, enquanto Beckermann aparecia o tempo todo. Naquela época, achei que

Dragan não estava mais a fim de mim e fui chorar no ombro de Beckermann, que até então era apenas amigo. Só mais tarde, depois que soube quem Beckermann realmente é, entendi: o jovem sérvio não teve escolha. Beckermann o havia aconselhado a sair fora — supostamente fez isso por mim: Dragan não era uma boa pessoa e não era bom para mim que me vissem muito com ele. Na verdade, provavelmente o convenceu de me deixar de lado, caso não quisesse ter problemas.

E mais vale não ter problemas com a família de Beckermann. Quando o filho do chefão diz "sai fora", é melhor sair sem perguntar por quê, o mais rápido e para o mais longe possível.

Na época, nada disso estava claro no meu entender. Para ser franca, esse cara até hoje tem algo de misterioso para mim. O tempo todo se fazia passar por outra pessoa e exagerava: uma vez inclusive falsificou um artigo do *Spiegel Online* para me impressionar. Deu-me duas páginas em formato A4 com a logo do site, descrevendo como o padrasto e ele eram poderosos.

Entre outras coisas, lia-se que ele, como filho adotivo, tinha mais de quinhentos membros dos clãs árabes às suas ordens e possuía uma casa de mais de trinta cômodos e piscina na região Renânia do Norte-Vestefália. Nessa matéria, que guardei, está escrito: "Após uma discussão com a polícia, que o havia parado com sua Mercedes 500, bastou um telefonema para que mais de trezentos membros dos clãs árabes o viessem socorrer: em menos de quinze minutos eles chegaram, fortemente armados, vindos de todos os bairros de Berlim." E mais adiante: "... (Beckermann) deixou o local sem maiores problemas, dizendo: 'Nessa cidade, a polícia somos nós: eu, e não vocês, é que decido quem pode me parar para controle, bando de parazitas.'" Parasita estava escrito com "z".

Hoje sei que o cara é uma espécie de Félix Krull, do romance de Thomas Mann, só que violento. No entanto, a imagem que procurava dar de si não me atraía muito. Não me interessava nada e foi precisamente o que, em seguida, causou minha desgraça. Deveria ter imediatamente notado que Beckermann era somente um pilantra.

Desde que meu advogado analisou o caso, tenho mais elementos da sua biografia, mas ainda não consigo juntar muitas peças do quebra-cabeça. Por exemplo, não entendo como pôde estar foragido por anos, viajando por vários países e tendo cofres e contas em bancos nos quatro cantos do mundo. A última vez que ouvi falar de Beckermann foi por meu advogado, que me contou haver um mandado internacional de prisão contra ele.

Era sempre pelo mesmo tipo de coisa. Beckermann havia estudado web design, informática ou algo assim. Era desinibido e esperto, tinha cursado boas universidades, inclusive no exterior. Bom, pelo menos era o que dizia. Nunca se sabe bem o que é verdade ou não nas suas histórias. Em todo caso, é muito ligado à internet. E, graças à sua boa formação, consegue piratear sites de venda e redes sociais.

Recepta também cartões de crédito roubados, que usa para comprar e revender objetos de valor. As falhas de segurança da internet facilitam incrivelmente as coisas para gente assim, como depois descobri às minhas custas.

Beckermann tinha outros truques: ganhou centenas de milhares de euros na ilha Grã-Canária se fazendo passar por agente imobiliário ou proprietário, vendendo casas que não tinha. Simplesmente alugava um imóvel e o propunha a ricaços, convencendo-os de que se tratava de um bom negócio.

Pessoas que possuem muito dinheiro podem ser incrivelmente idiotas.

Nunca me deixei levar quando tentava me empurrar a fazer alguma coisa. Quando lhe contei que estava pensando em deixar Berlim, ele evidentemente sugeriu que partíssemos juntos à Grã-Canária. Não desistia. E olha que nos conhecíamos há apenas seis semanas.

— Phillip e eu não nos sentiríamos bem lá, é um lugar para turistas. Não estou querendo farra, tudo que quero é paz! — expliquei a ele.

Em 2008 Phillip entrava na adolescência e eu não queria que levasse aquela vida estreita. Precisava de espaço para seus anos de juventude, problemas e centros de interesse. Minha juventude de merda estava longe e eu queria ser capaz de me dedicar ao meu filho. Por isso quis deixar Berlim. Conversei demoradamente com ele e expliquei tudo.

Phillip é bom em geografia. Quando era pequeno, gostava de tirar o atlas da estante e descobrir o mundo. Sentei-me então com ele na cama, com mapas e um chocolate quente, como sempre fizemos, e perguntei em qual lugar preferiria viver.

— Quero um com o mesmo clima que aqui. Que tenha primavera, verão, outono e inverno — respondeu ele. — Nada que tenha apenas palmeiras ou neve. E que não seja muito difícil me adaptar na escola.

Então pensei: bom, talvez seja menos difícil na Holanda, já que ele é alemão. Mas me lembrei também de Pasadena.

Mesmo antes das eleições americanas, eu tinha certeza de que Barack Obama ia ganhar, e eu o achava um cara bem legal.

— Se ele for eleito, a gente vai para lá — brinquei por um instante.

Mas sabia que não seria tão fácil conseguir um Green Card, sobretudo para uma ex-viciada com ficha policial e filho a tiracolo.

Como não queríamos uma cidade menor do que Berlim, finalmente nos decidimos por Amsterdam.

Primeiro fui sozinha com Beckermann. Queria ver como a cidade havia evoluído desde a última vez que estivera por lá. Na época em que morei em Zurique, tinha feito farra com meu *junkie* viciado em *speed*, numa ocasião em que Anna havia nos mandado a Paris. Mas com isso tinha visto a cidade pelo olhar da adolescente drogada que eu era e só havia procurado discotecas e sex shops.

Agora eu era mãe, estava limpa e queria me informar para saber quais eram as boas escolas e o que seria necessário para morar lá.

— Queremos vir morar aqui, pode me dizer o que fazer?

— Precisam de um número de seguro social — explicaram no ofício de registros da cidade.

O restante das informações conseguimos pela internet na biblioteca municipal. Soubemos, por exemplo, que para pedir um número de seguro social era preciso antes cancelar a matrícula de Phillip na escola da Alemanha. E foi o que fiz assim que voltei a Berlim, depois de quatro dias de viagem.

Mas os professores não estavam com paciência para conversar, só porque o havia deixado com minha mãe e o material da escola foi esquecido em casa. Teve que ir às aulas a semana inteira sem seus cadernos e lápis. Foi chato para ele — e para mim.

Avisei também o assistente familiar sobre nossos projetos holandeses, e ele imediatamente disse:

— Ai, ai, ai! Isso é preocupante.

Talvez a reação não fosse essa se Beckermann não estivesse conosco, não sei. No que me concerne, sei que posso me virar no exterior, pois várias vezes já havia feito isso. A única coisa que faltava esclarecer era como o serviço de apoio à infância ia receber minha ideia.

Tudo então estava pronto. Beckermann ficou com Phillip enquanto fui ao médico. Parei num supermercado no caminho de volta e estava de pé no caixa, tentando manter em equilíbrio vários alimentos, quando meu telefone tocou. Enganchei-o entre o ouvido e o ombro. A voz de Beckermann estava esganiçada e em pânico:

— Pode me dizer o que aconteceu? — perguntei duas vezes.

Com o choque, deixei tudo rolar pelo chão.

Não me lembro mais o que se passou nas duas horas seguintes. Apenas as palavras de Beckermann continuaram gravadas na minha cabeça:

— Christiane, venha rápido, eles levaram o menino.

Não fui para casa. Peguei a linha 25 até Teltow e, chegando à estação, fui direto ao ponto de táxi, esperando encontrar Klaus. Felizmente ele estava lá. Entrei no carro dele e gritei:

— Rápido! Para o serviço de apoio à infância de Potsdam-Mittelmark!

No caminho, expliquei o que estava acontecendo. Chegando, saltei do táxi e disse:

— Assim que ele chegar, feche a porta.

Entrei no prédio, subi a escada e encontrei Phillip aos prantos na sala de espera. Há pelo menos duas horas estava abandonado ali, sem ninguém mais além de duas secretárias. Disse a elas:

— Por favor, quero apenas me despedir do meu filho.

Abracei Phillip e cochichei em seu ouvido:

— Desça a escada o mais rápido que puder. Logo à esquerda há um táxi esperando. Continue no mesmo ritmo e entre. Chego logo depois.

Queria vigiar a saída da sala, para o caso de alguém tentar atrapalhar a fuga. Quando vi que tinha chegado ao táxi, fui atrás. Ninguém do serviço de apoio à infância se deu conta do que estávamos fazendo. E era gente assim que queria sequestrar meu filho!

Estávamos na autoestrada há apenas quinze minutos quando o chefe da empresa de táxi ligou.

— Uma criança foi sequestrada no serviço de apoio à infância de Potsdam-Mittelmark. A polícia diz que o menino e a mãe fugiram de táxi, numa perua.

A voz vinha com falhas e chiados pelas ondas radiofônicas, pois estávamos numa daquelas semanas de verão com tempestades e chuvas fortes.

— Estão pedindo a ajuda de todas as companhias de táxi. Está sabendo de alguma coisa, Klaus?

O nome do motorista foi pronunciado não como se uma pergunta estivesse sendo feita, mas sim como um ultimato. Meu coração ficou paralisado no peito: "Meu Deus, como são rápidos, foi ainda agora", pensei tomada de pânico.

Olhei para Phillip e pus um dedo nos lábios fechados:

— Psiu!

Na verdade, o sinal não era necessário. Phillip é um menino inteligente e nem pestanejou. Mas com a tensão que pairava no ar, não sabia se suas ideias continuavam claras. Ou melhor, as minhas é que pareciam bem confusas, sentia-me completamente perdida. Queriam tomar meu filho, nunca tivera tanto medo na vida.

Por um breve instante o carro ficou em silêncio. Klaus deu uma olhada no retrovisor para ver o banco de trás, onde estávamos sentados, enquanto os limpadores de para-brisa iam e vinham à sua frente. Não diminuiu a velocidade e respondeu no rádio:

— Não estou sabendo de nada.

Dei um suspiro profundo e me dei conta de que estava prendendo a respiração há vários segundos. O chefe de Klaus também suspirou, sem que parecesse uma demonstração de alívio. Afinal, conhecia o motorista pelo menos tão bem quanto eu: Klaus não era nenhum anjo.

— Onde você está nesse momento, Klaus? Está com passageiro no carro? — perguntou ele.

— Estou na autoestrada. Está tudo calmo por aqui — respondeu Klaus.

Mais tarde, com tudo isso terminado, revi Klaus e dei a ele 30 euros. Era apenas um conhecido e eu tinha pedido que nos ajudasse. Mas nada garantia que fosse se manter calado. Poderia ter problemas graves. Nunca vou esquecer o quanto foi leal.

A mulher na casa de quem me escondi era uma conhecida do mundo das drogas. Com 9 anos de idade, o filho ainda fazia xixi na cama. Roubava e era agressivo, provavelmente por ter sido muito espancado por um grupo de homens que "oficialmente" eram seus clientes. Com 45 anos, ela continuava se prostituindo para sustentar o vício, mas não como se imagina que façam as putas normalmente.

Detlev e eu, quando éramos crianças, às vezes dormíamos também na casa de clientes e até passávamos o dia. Mas com ela a história era outra: os caras se mudavam por um tempo para a casa dela. Pagando, é claro. Com o dinheiro ela comprava drogas e um monte de esculturas e objetos de vodu africanos. Adorava essa região do mundo e sempre usava umas tranças que não acho muito higiênicas, pois realmente não podem ser lavadas.

Naquele momento, porém, dada a situação em que estava, era a única pessoa em quem podia confiar. Com as outras, a gente nunca sabe, poderiam falar com a imprensa para levantar algum dinheiro ou contar coisas à polícia para conseguir uma redução de pena.

Ela nunca tinha sido presa nem havia procurado um médico para o programa de substituição. Por isso não estava na mira da administração, e aquilo era tão importante para ela que nem sequer foi à polícia quando os tais "amigos" bateram no seu filho. Quando me contou essa história, precisei me controlar para não entregá-la.

Mas agora a polícia estava em nosso encalço com todas as centrais de táxi e aquele apartamento era o local mais seguro que eu podia encontrar.

Os meninos, que tinham a mesma idade, brincavam juntos. Ficamos sentadas na cozinha emendando cigarro após cigarro, até o momento em que pudemos sair para encontrar Beckermann, quase cinco horas depois. Nesse intervalo de tempo, ele havia feito minhas malas com seu meio-irmão libanês.

Fez todo um teatro do tipo: "Te encontro em tal ou tal lugar." Em Neukölln, onde ficava o apartamento em que eu estava, havia polícia demais nas ruas. Ele então pediu que fôssemos a um lugar e depois a outro. Em seguida tinha uma nova crise de paranoia e mudava novamente o ponto de encontro porque o local, no seu entender, não era seguro — até que eu tive uma crise e lhe pus, por telefone, a faca na garganta:

— Ouça! Tenho um menino de 11 anos comigo, não posso ficar andando pela cidade inteira só porque está com medo da polícia. De uma vez por todas, diga onde podemos nos encontrar ou vamos embora sem você.

Nunca tinha me perguntado por que Beckermann queria nos acompanhar. Dizia ter um apartamento em Viersen, perto da fronteira holandesa, e achei que simplesmente procurava nos ajudar.

Nunca me passou pela cabeça morarmos juntos. Estava a ponto de explodir com todos aqueles problemas e, francamente, achava bom não estar sozinha.

Beckermann finalmente foi nos encontrar na frente do cassino da Potsdamer Platz. Ou melhor, seu meio-irmão Mustafa, pois Beckermann não tinha carteira. Mustafa precisou cancelar as férias previstas com a namorada, em Maiorca, para, em vez disso, servir de motorista numa caminhonete alugada e nos levar a Amsterdam. A namorada em questão estava furiosa, como se pode imaginar. A viagem durou exatamente sete horas.

Fugíamos há quase 24 horas quando Mustafa nos deixou na pensão que Beckermann e eu havíamos encontrado dez dias antes, quando tínhamos vindo fazer os preparativos.

Na verdade, foi a proprietária da pensão que nos encontrou.

Uma mulher não mais tão jovem, bruta de aparência, mas mesmo assim simpática, nos abordara na estação. Desde a Grécia conhecia esse tipo de atuação. Os helenos se plantam no porto com cartazes e aos gritos: "Hotel! Hotel!" Na maior parte do tempo são pessoas que não têm hotel nenhum, mas apenas alguns quartos vazios à disposição e procuram ganhar algum trocado com isso. Na época, a mesma coisa acontecia em Amsterdam.

Logo de início notei que tinha mudado completamente de atitude desde nossa estadia anterior, duas semanas antes. Resmungava que estávamos fazendo barulho demais para tirar as malas do carro e não imaginava que fôssemos trazer tanta bagagem. Tínhamos pegado inclusive a televisão e o Playstation de Phillip, panelas e roupa de cama. Ou seja, a casa inteira. Mas, recebendo o dinheiro adiantado que dei, para seis noites, sua expressão acabou se relaxando. Tínhamos reservado dois quartos, um com duas camas de solteiro e outro para Phillip.

Eu só podia pagar em dinheiro vivo porque meu cartão de débito tinha sido bloqueado desde que Beckermann fez um depósito de 300 euros, me reembolsando gastos da primeira viagem a Amsterdam. Depois disso o banco me notificou que alguém proibido de fazer operações financeiras tinha transferido dinheiro para a minha conta e que, para evitar que eu fosse vítima de algum roubo, eu só poderia fazer retiradas me apresentando pessoalmente no caixa, até receber um novo cartão pelo correio. Mas não pude esperar o cartão chegar. Por precaução, saquei 5 mil euros que carregava comigo.

No banheiro do nosso quarto da pensão, enquanto escovava os dentes e lavava o rosto, tive a impressão de sair da pior *bad trip* que já fiz, sem tomar drogas. Tínhamos conseguido chegar até ali e atravessar a fronteira. Não poderiam nos pegar tão cedo. No momento em que a água fria entrou em contato com minha pele, senti o ritmo dos meus batimentos cair. Quem não tem filho não pode compreender. Tirar o filho da própria mãe! É de enlouquecer. Pirar para sempre. Meu garoto! Meu garoto, meu garoto! Posso ir a qualquer lugar, mas não sem o meu garoto.

Beckermann não diminuía a pressão. Insistia para que continuássemos até a Espanha:

— Lá vai ser mais difícil nos descobrir — alegava.

Para mim, no entanto, a Espanha era algo vago demais, desconhecido demais. Tenho tendência a querer controlar tudo e estava fora de cogitação partir com meu filho para um país estrangeiro em que nunca tinha pisado antes e cuja língua eu não falava. Então continuamos em Amsterdam.

Mas os problemas estavam apenas começando. Meu dinheiro não parava de evaporar misteriosamente. O tempo todo desapareciam notas, às vezes de 50, às vezes de 100, da minha carteira. Beckermann insinuava ser o simpático grego do quarto ao lado que nos roubava.

Soube depois que ele chegou a esconder o próprio porta-níqueis no quarto do rapaz enquanto a camareira fazia a limpeza. E depois o acusou na minha frente de ser ladrão. Mas eu sabia que o grego não era desonesto: estava em Amsterdam para responder a um processo contra ele por ter batido, um ano antes, num carro holandês com uma moto alugada. Poderia ter ficado em Atenas sem ir a Amsterdam. No entanto, estava ali — e de forma alguma para roubar o porta-níqueis miserável de Beckermann.

A proprietária da pensão, uma velha alemã que tinha morado na região de Sonnenallee e a deixara antes da chegada de Hitler, rapidamente começou a achar os três berlinenses um tanto suspeitos. No quarto dia ela nos mudou de quarto: perdemos o que era ao lado do de Phillip e fomos para o sótão. Aparentemente estava tão assustada conosco que havia chamado alguém para protegê-la. De um dia para outro um sujeito grandalhão apareceu por lá e não saiu mais. Talvez Beckermann a tivesse ameaçado, não sei.

A mim ele dizia apenas haver algo de errado com a velha, que parecia implicar conosco. Desconfiava dela e do leão de chácara, que talvez eles tivessem roubado a nossa grana. Na verdade, há tempos eu já não sabia mais em quem confiar. Quando, além de tudo, a mulher veio dizer que 10 mil euros seus haviam desaparecido, nos acusou e nos expulsou da pensão, eu já estava completamente esgotada.

Tínhamos deixado a Alemanha há apenas uma semana.

A proprietária não podia nos denunciar, visto que o dinheiro supostamente roubado não fora declarado. Foi minha única sorte naquilo tudo. Estava desesperada, pois não tinha para onde ir. Além disso, carregávamos uma tonelada de bagagem, não sobrava muito dinheiro e eu não podia pagar 200 ou 300 euros por dia só para dormir.

Perguntei a várias pessoas, na estação de Amsterdam, se podiam me indicar alguma coisa, e acabamos indo parar num camping perto do aeroporto de Schiphol, muito distante do centro da cidade, num chalé de madeira. Estávamos no mês de julho, mas fazia um frio de matar, e logo nos primeiros dias começamos a ter problemas porque, em princípio, não se admitiam cachorros no camping. Depois de conversar por horas com o vigia, acabamos combinando que eu deixaria Leon com amigos em Amsterdam. Amigos que não existiam, é claro.

Eu devia morrer em 100 euros por dia para ter um quarto com beliche, nas quais batíamos a cabeça o tempo todo. E mais 5 euros de aquecimento e 1 euro por pessoa para usar o chuveiro. Então me adaptei e logo estava parecendo alguém que realmente acampa: calça *legging*, cabelos presos e nada de maquiagem. Beckermann reclamava e não deixava de repetir que eu estava me deixando levar. Ele realmente me enlouquecia.

O dinheiro escorria pelos dedos e ao fim de quase quatro semanas restavam apenas mil euros dos 5 mil iniciais. E Beckermann não queria participar de despesa nenhuma. Eu estava à beira de uma crise de nervos, vendo que nada dava certo. Fui ver várias escolas para Phillip e quase uma dúzia de apartamentos, mas sempre me diziam: "Por favor, primeiro resolva seus problemas na Alemanha." Graças à livre circulação na União Europeia, pode-se facilmente declarar residência principal ou secundária na Holanda, é verdade, mas não sem uma fonte de renda. Eu tinha alguém administrando minhas contas em Berlim, mas o que fazer para resolver tudo rapidamente? Levaria semanas até receber minha declaração de imposto de renda e extratos bancários.

Infelizmente não sei mexer no computador e também não queria que Beckermann tivesse acesso. Se as informações chegassem a ele, eu com certeza estaria arruinada.

Sem um número de seguro social não era possível sequer seguir um programa de metadona, e então fui obrigada a interrompê-lo. Sentia-me mal o tempo todo, suava muito, tinha calafrios e estava deprimida. Parar com a metadona realmente não é nada divertido. Na verdade, precisava com toda urgência procurar um médico, mas tinha uma única ideia em mente: o que fazer para dar uma vida decente a meu filho naquele país? Não era possível continuar daquela maneira!

Cada dia se passava sem novidade alguma, cada tentativa se concluía com fracasso — só faltava uma coisa: não ter mais um tostão. Tomei então uma decisão: precisava ir buscar dinheiro. Com o coração aflito, deixei Phillip com Beckermann e comprei uma passagem para Berlim. Seis horas para ir, mais seis para voltar e, entre elas, um pulo rápido no banco. Voltei a Amsterdam com mais 3 mil euros. Mais eram minhas últimas reservas, pois havia aplicado o principal a prazo fixo. Levaria semanas até conseguir liberar uma soma maior.

Passei a esconder o dinheiro dentro da calcinha e dormia toda encolhida. Em posição fetal, para que Beckermann não pudesse roubar o que restava. Realmente não sei como, mas mesmo assim ele conseguiu. É verdade que naquele momento eu já não tinha muita noção do que fazia: estava completamente tomada pelos problemas da abstinência e tão desesperada que várias vezes corri à noite a Amsterdam para tomar uns gins-tônicas e comprar um pouco de maconha e haxixe. Sem isso não teria aguentado.

Beckermann me assustava cada vez mais e passava o tempo todo me criticando. Para o filho do rei da cocaína, o haxixe era uma droga de quem não sabia o que queria. A gente brigava o tempo todo por isso. Eu estava tensa todas as horas do dia: tinha medo da polícia, de Beckermann, de perder a guarda do meu filho. Tendo em vista nossa situação, pouco a pouco também me conscientizava de que, para o meu filho, talvez fosse melhor estar em qualquer lugar, menos comigo.

Certa noite, depois de uma áspera discussão porque, pela enésima vez, eu dizia que ele tinha que me ajudar com a grana — o que lhe parecia absurdo, pois, afinal, era do meu filho, do meu cachorro e da minha fuga que se tratava, sendo tudo culpa minha —, Beckermann finalmente saiu fora. E quando, não muito tempo depois, vi que não tinha mais um tostão, ou quase, joguei a toalha.

Liguei para Thorsten, disse onde estava, contei os problemas que tinha e que estava voltando para Berlim. Finalmente entendi o que significava ter sequestrado meu filho. Enquanto tudo não estivesse acertado, eu não tinha como construir para ele uma existência normal. Nenhuma escola, nenhuma repartição pública, nenhum proprietário de imóvel nos aceitava.

Meu único objetivo passou a ser tentar convencer o serviço de apoio à infância de Potsdam-Mittelmark a não tomar meu filho, e estava certa de que me entregar pesaria a meu favor.

Enquanto isso, deixei de atender as chamadas de Beckermann, que ligava para o meu celular quase que de hora em hora. De táxi, levamos todas as nossas coisas à estação e, no final da tarde, seis semanas depois de fugir da Alemanha, estávamos num trem para Berlim.

Com as passagens no bolso, restavam ainda 7 euros e 50 centavos.

— Não saia daqui, Phillip, vou ver no vagão-restaurante o que posso comprar com isso. Quem sabe um chocolate e uns pãezinhos — disse a ele, depois de atravessada a fronteira, sentados nas nossas poltronas.

Há semanas não conseguia engolir nada. Com o estresse e a falta da metadona, meu estômago estava revirado: passei de 66 a apenas 47 quilos.

Mas se tratando do meu filho, podia ter a energia de uma leoa! Antes de ir ao vagão-restaurante, expliquei a Phillip que não atendesse meu celular, pois poderíamos ser localizados. Mas mal saí, Beckermann ligou pela 34ª. vez e Phillip quis pôr os pingos nos is:

— Não vamos mais ver você!

Procurava apenas me proteger.

Quando notei quatro policiais de pé na plataforma da estação de Wuppertal e os vi subindo em seguida no trem, soube imediatamente o que procuravam e que era o fim.

10

Família adotiva

Aparentemente os funcionários do serviço de apoio à infância acharam que havia alguma escassez de droga em Berlim e que por isso eu tinha ido a Amsterdam, para poder continuar a me drogar com maconha, heroína e haxixe.

— Se realmente fosse o que queria — disse mais tarde à imprensa —, teria ficado em Berlim. Ou ido a Hamburgo. São lugares em que posso ter quanta droga quiser, a qualquer hora do dia. Não precisaria ir a Amsterdam!

No fundo, eu é que tinha me atolado na merda sozinha.

Mas não deixei que tomassem meu filho sem reagir.

Era pouco depois de meia-noite quando nos fizeram descer do trem. Começaram revirando as cinco malas que eu carregava e havia arrastado sozinha pela cidade: pegava duas, depois mais duas e, em seguida, meu filho e a última. Não resisti, mas foi, de qualquer forma, uma cena terrível. Phillip chorava loucamente, se contorcia e se agitava, pedindo aos policiais:

— Só cinco minutos, por favor!

Dois dos quatro policiais também se desmancharam em lágrimas. Era horrível, o menino estava morto de medo. Um dos homens pegou-o pela mão. Abaixei-me, olhei Phillip bem nos olhos, dei o chocolate que tinha comprado e disse:

— Fique tranquilo, logo vamos estar em casa. Por enquanto esses homens vão tomar conta de você porque mamãe tem algumas coisas a fazer, mas tudo isso logo vai acabar.

E nos levaram à delegacia para o interrogatório. Phillip foi enviado a um serviço de recepção emergencial para crianças. Levaram junto seu Game Boy e o celular. Tivemos que nos separar. Muitos anos depois, foi ele que me contou, pois até hoje não sei exatamente o que aconteceu naqueles dias. Ficou trancado por quatro dias, até que Thorsten, o assistente familiar de apoio à infância de Potsdam-Mittelmark, enfim tivesse tempo de ir buscá-lo.

Enquanto isso, depois do interrogatório, quiseram me mandar embora. Implorei: para onde iria? Não tinha um centavo! Já era tarde da noite. Então me levaram, com minhas cinco malas e Leon, meu cachorro, até um abrigo de sem-teto, onde pude dormir três horas. De manhã, consegui que um funcionário me emprestasse 10 euros, deixando minha bagagem de garantia.

Em seguida fui procurar o banco mais próximo e pedi por telegrama uma remessa de dinheiro pelo correio. Não tinha sido possível em Amsterdam, mas eu agora estava em território alemão, na Renânia do Norte-Vestfália. Eram onze da manhã, em duas horas teria meu dinheiro. Enquanto isso, com as últimas moedas que tinha, quis comprar uma garrafinha de vodca. Mas faltavam 50 centavos e expliquei ao proprietário da loja:

— Não estou me sentindo bem, me separaram do meu filho hoje à noite. Preciso muito beber alguma coisa.

Ele imediatamente abriu mão do que faltava, mas voltei quando meu dinheiro chegou. Foi com prazer que paguei o que devia, pois, sinceramente, quem hoje em dia aceita dar gratuitamente alguma coisa a alguém? O lojista foi realmente uma boa pessoa e, certamente, o único a confiar em mim.

Aproveitei para comprar uma garrafa grande de vodca e uma caixa de suco de laranja. Chovia a cântaros em pleno mês de julho. Não tinha mais a menor importância. Protegi-me debaixo de uma árvore do jardim sob o metrô aéreo de Wuppertal. Leon e eu estávamos molhados até os ossos, mas eu não estava nem aí. Como uma sem-teto, me agachei ali e, tranquilamente, bebi um copo atrás do outro de vodca com suco de laranja, num recipiente de papelão branco.

— Acabou, está tudo acabado — dizia a mim mesma. — Tudo aquilo para nada. Ninguém vai te ouvir. Fez tudo errado.

Tinha vontade de morrer. Depois me reanimei: não, Phillip está me esperando em algum lugar. Comecei a fazer planos: e se fosse buscá-lo? Se o sequestrasse de novo?

Mas o que faria em seguida? Acabei voltando ao abrigo de sem-teto e chamei um táxi que nos levou, Leon e eu, à estação com toda a minha bagagem. À noite, já em Berlim, enfiei as malas em guarda-volumes na estação central e saí em busca de heroína. Umas horas mais tarde eu estava de novo mergulhada na droga. E por um bom tempo.

Perdi todo o controle. Chorei tanto que tive que ficar em casa por semanas inteiras. Meus olhos ficaram tão inchados de chorar e não dormir que tinha vergonha de sair. Só juntava coragem à noite, quando não via mais jornalistas na minha porta, para comprar tabaco, álcool e heroína. Desde o nascimento de Phillip eu não havia chegado perto de uma seringa. Aquele menino era a minha vida, eu não faria nada daquilo com ele por perto. Mas tinham-no levado.

Meu peito doía muito forte, como se fosse explodir. Estava cheio de raiva e desespero e, ao mesmo tempo, com uma sensação de vazio inimaginável. Raciocinava tentando me acalmar e resolver a situação. Quem sabe poderia convencer o serviço de apoio à infância. Quem sabe me devolveriam meu filho.

Mas logo em seguida tinha consciência de não poder fazer nada e me desesperava.

Depois de tantos anos consumindo muito pouca heroína, botar para dentro uma alta dosagem de uma só vez pode matar uma pessoa. Não via mais motivo algum para continuar aguentando. Não conseguia mais dormir nem comer. Nem sei se me banhava naquele período. Quando não estava deitada num canto, completamente arrasada, andava de um lado para outro do apartamento, até não saber mais se eram seis horas da manhã ou da tarde.

Na longa lista de decisões idiotas que tomei, voltar à heroína foi a pior de todas. Um dia, Kai Hermann, um dos autores de *Eu, Christiane F., 13 anos, drogada, prostituída...* me disse:

— Se for capaz de dar uma amostra limpa de urina, podemos contestar a decisão do serviço infantil e processar a imprensa em seguida.

Mas eu estava impossibilitada de fazer qualquer coisa.

Por dias inteiros jornalistas sitiaram meu apartamento em Teltow. A *Spiegel TV* permaneceu de plantão por três dias, puxando inclusive eletricidade da casa de vizinhos. Os repórteres se informavam com moradores do edifício e esperavam qualquer saída minha para apontar as malditas máquinas fotográficas no meu rosto inchado de lágrimas e drogas, perguntando como eu me sentia.

Como me sinto? Estão debochando de mim ou esses babacas são realmente idiotas? Como se sente uma mãe a quem acontece o que de pior pode acontecer? Porra, por que ninguém perguntava o que podia fazer para me ajudar?

Estava tão transtornada com aquela cambada de jornalistas que um dia, saindo, esqueci a carteira com o dinheiro em casa. Só percebi na rua. Foi preciso dar meia-volta e passar de novo diante deles, que me olhavam como abutres. Não estavam nem aí para mim e meu sofrimento. Queriam apenas registrar para a eternidade uma imagem minha chegando ao fundo: "Christiane F. perdeu o filho para sempre", ou "Christiane F. volta a mergulhar no inferno das drogas", eram as manchetes. O que realmente tinha acontecido não interessava a ninguém.

Ainda hoje não consigo aceitar que tenham tirado meu menino. Sou covarde demais para me suicidar, mas desde então minha vida parou. Tirar o filho de alguém é como arrancar seu coração e matar a alma, sem concluir o trabalho. Você se torna um invólucro vazio, e os únicos sentimentos que ainda consegue ter são a carência e a tristeza. Todos os meios servem para te imbecilizar. Todos.

Foi idiota da minha parte ter voltado à heroína. Com isso perdi qualquer possibilidade de recuperar a guarda e o direito de que meu filho morasse comigo. Nada disso estava muito claro, ninguém havia realmente explicado e, de qualquer forma, nada mais importava.

Que mãe consegue se manter calma e agir racionalmente numa situação assim? Estava no fundo do buraco, achava ter perdido tudo para sempre. Havia-se construído uma imagem da mãe que eu era e, de qualquer maneira, não tinha como mudá-la.

Acho que a imprensa teve realmente uma parcela de culpa nisso. Escreveu que eu tinha alcançado o nível mais baixo possível, sendo minha fraqueza com as drogas a causa de tudo. Senão, qual seria o outro responsável? Ou quem? Ou seja, é evidente, não é?

Eu era mãe, não ia me afundar de novo. Mas coisas assim não interessam! Nem à minha própria mãe. Ela aceitou expor meu sofrimento numa entrevista em seis partes ao *Berliner Zeitung*, e foi como eu soube, no exato momento em que perdia meu filho, que minha mãe não queria mais ser minha mãe. E que inclusive disse à jornalista:

— Nada do que posso controlar e resolver por conta própria me assusta. Sempre me esforcei para ter em mãos minha vida, tentando usufruir o máximo, e consegui. Exceto com Christiane. Com ela fui atropelada sem ter nada que pudesse fazer. Não é ótimo, mas é como são as coisas. Sou obrigada a aceitar.

Pensei: "Será que entendi errado? Tudo gira sempre ao redor dela! Está pouco se importando que a filha esteja no fundo do poço. E pra piorar ainda dá a todo mundo a impressão de que sou um fardo contra o qual ela nada pode e que destrói a sua vidinha absolutamente perfeita. Inacreditável!"

E uma vez mais fez a caveira do meu pai — trinta anos depois do livro, continuava a contar, a torto e a direito, como ele batia nas filhas, e como uma vez tentou jogá-la do 19º. andar.

— Chega um momento em que não dá mais — fui informada através da *Berliner Zeitung* —, eu queria te ajudar, mas, após tantos anos, sinto-me completamente incapaz.

É como estava escrito e foi a última coisa que minha mãe me disse.

E Beckermann quis também se aproveitar e vendeu informações à imprensa. Deu entrevistas e espalhou mentiras a meu respeito em todas as mídias possíveis e imagináveis. Pelo que soube, a maioria dos jornalistas não lhe pagaram nada, mas os absurdos que contou foram impressos. Inventou que vivíamos como casal e que eu teria "pisado na bola" em Amsterdam, deixando meu filho "às soltas por dias inteiros".

Desde o início tinha armado o seu jogo: o depósito que fez na minha conta e bloqueou meu cartão de débito deu a ele acesso às minhas informações bancárias. Nos dois últimos meses ele se servira copiosamente do meu dinheiro. Como com suas demais vítimas, havia encomendado em sites de venda objetos que revendia. Trinta mil euros foram sacados para pagar um monte de material eletrônico. Rapidamente contratei um advogado, sócio do conselheiro jurídico de um bom amigo meu, e que em seguida também me representou junto ao serviço de apoio à infância, além do processo contra Beckermann. Fui reembolsada, mas no final tudo me custou ainda mais caro.

Não consigo entender por que esse cara não é perseguido pelos delitos que cometeu. Graças a meu advogado, não recebo mais cobranças, mas nunca reavi os 30 mil euros. Certas pessoas têm o direito de fazer o que é proibido. Foi o que infelizmente acabei compreendendo ao longo dos meus 51 anos de existência.

Beckermann acha que sou completamente estúpida. No momento em que entrou na minha vida, eu tinha preocupações demais para perceber quem ele realmente é. Pois mesmo depois de me fazer passar tudo aquilo, teve a cara de pau de me mandar uma carta da prisão, em dezembro de 2008.

Só que ele foi o idiota, fazendo confissões por escrito, sem se dar conta: "Fui pego. Há quatro semanas estou de novo na prisão de Wuppertal." É como começa a carta, que continua: "Como sei que não é rancorosa, espero que perdoe meus erros." E mais adiante: "... sobretudo minhas falcatruas financeiras."

Foi graças a isso que meu advogado conseguiu que eu não arcasse com outras dívidas. Mas Beckermann não pagou pelas fraudes das quais fui vítima; estava na prisão por outro motivo, e ainda tentava me comover. Um cara que arruinou minha vida. Devia se dar por satisfeito: melhor para ele que eu o ignore!

Mas é algo que ele, evidentemente, não suportou. Na primavera seguinte enviou outra carta que não respondi. Para mim, é como se estivesse morto. Chegou inclusive a dar meu endereço a outro preso. O sujeito me escreveu dizendo ser meu fã.

Infelizmente, Anna também foi vítima de suas mentiras. Certo dia recebeu um telefonema dele dizendo que eu estava muito doente e que fora obrigado a telefonar da minha parte para pedir dinheiro. Anna só me contou isso mais tarde, quando me procurou ao saber pelos jornais o que havia acontecido. Na época, tudo que fiz foi chorar, contando minhas desgraças, e nem perguntei quanto havia enviado ao canalha. Também sequer me preocupei em saber como estava. Novamente, só pensei em mim e nos meus problemas.

Como da última vez, numa ocasião em que precisei com urgência de muito dinheiro. Ligar para Anna foi a única ideia que me veio à mente. Quando, do outro lado da linha, ela disse que encontraria alguém para fazer a transferência em seu lugar, porque não podia mais sair de casa, a ficha devia ter caído para mim. No entanto, isso não aconteceu; estava preocupada demais pensando em mim, como sempre. E Anna já estava gravemente doente. Lamento infinitamente não ter podido me desculpar nem agradecer de verdade. Anna morreu em 2010. E Daniel se foi um ano depois.

Certa manhã, recebi uma correspondência avisando que tiravam de mim a guarda do meu filho e o direito de tê-lo em casa.

O processo aconteceu alguns dias depois e durou no máximo meia hora. Meu advogado fez o que pôde, mas ele também não é nenhum Rolf Bossi, o midiático advogado alemão. Além disso, eu voltara a me afundar nas drogas e com isso estupidamente estraguei qualquer possibilidade de reaver meu filho.

Fui idiota, incrivelmente idiota, e talvez tenha mesmo merecido tudo o que aconteceu.

Tendo-se resolvido que Phillip não voltaria para casa e iria morar com uma família que o aceitasse, deram-me o direito de ir vê-lo no serviço de apoio à infância, de duas em duas semanas, para começar. Ficamos sentados com oito pessoas em volta, sem que eu tivesse a menor ideia de quem eram. Pensavam, é claro, que eu fugiria com ele se não me vigiassem. E era o que teria feito! Teria ido para a Tailândia ou coisa assim, do outro lado do mundo. Mas naquele momento não era mais possível.

Se quisesse passar algum tempo com meu filho, não havia escolha: tinha que ficar plantada ali, no meio daqueles olhares, num cômodo vazio.

Choramos uma imensidão nas primeiras semanas de separação.

Para ser franca, confesso que fumava sempre um pouco antes de ir, só para ficar um pouco mais calma. Porque naquele tempo estava completamente fora da realidade. Mas só fumava um pequeno baseado antes para que ele não visse o quanto eu estava mal.

De qualquer forma, quando ele entrava na sala, as lágrimas inundavam meu rosto. Com Phillip acontecia o mesmo. O pior naquilo tudo era que nele a tristeza se misturava à raiva — raiva de mim.

Para ele, o que havia acontecido era culpa minha. Nunca disse claramente, mas sei que ainda hoje ele se pergunta por que o fiz passar por tudo aquilo. E tem todo direito. Por minha causa teria que morar com desconhecidos, se acostumar com outra escola e encontrar novos amigos. Nunca vou me perdoar por isso. E nem ele.

É claro, estava fora de cogitação ficar de braços cruzados. Fiz tudo que o serviço de apoio pedia. Dentre as muitas obrigações, devia retomar o programa com a metadona. Segui-o durante o ano inteiro, com bons resultados, sem nunca reclamar, para que no final Phillip pudesse novamente me visitar em Teltow, primeiro somente durante o dia e depois pelo fim de semana inteiro.

Na época não pude escolher para onde Phillip iria, mas sei que deu sorte com a família com que esteve desde então. Primeiro fiquei aliviada de ver que não o enviaram para uma família normal, que teria dito:

— Aqui as coisas não são como está acostumado, terá que fazer assim ou assado.

Phillip mora com cinco outras crianças entregues a uma família em Brandeburgo, os Peters. Tirei um peso das costas quando vi que poderia continuar dando palpites e ter um papel em sua vida. Se meu filho um dia me dissesse: "Você não é mais minha mãe, ela é", ficaria com o coração partido. Isso me destruiria completamente.

Os Peters são gentis. Entramos em acordo quanto a certos pontos da educação e decisões a tomar. Por exemplo, os projetos e as viagens escolares de que ele poderia participar ou coisas que poderia comprar. Creio que são educadores, provavelmente aprenderam e foram formados com essa finalidade, não sei bem. Têm amor a dar e vender e não são frios como as pessoas do serviço de apoio à infância. As outras crianças também são adoráveis.

Desde o início, Phillip se relacionou com Maya — claro que não num sentido sexual, tinham só 12 anos. Entendiam-se bem e se sentiam próximos um do outro. Nesse primeiro momento, ficou muito afetado pela minha ausência. Precisava de pessoas a seu redor, é compreensível, era apenas um menino. Maya não tem pais, uma história terrível. O pai e a mãe morreram num acidente quando era recém-nascida. Ao chegar à casa dos Peters ainda engatinhava. Acho que não tinha irmão, irmã, nem parentes próximos que cuidassem dela. Pelo que entendi, as outras crianças vão para a casa de suas famílias no fim de semana ou nas férias, e apenas Maya continuava com os Peters.

Há não muito tempo, duas crianças difíceis que machucavam as outras, brigavam e quebravam tudo tiveram que deixar a casa, e os Peters receberam dois bebês para cuidar: uma menininha de 1 ano e o irmão de 2. A mãe era gravemente alcoólatra e tinha inclusive bebido durante a gravidez.

Aparentemente as duas crianças não tiveram sequelas físicas, mas guardaram marcas psicológicas. Um dia, por telefone, perguntei ao pai adotivo de Phillip como estava, pois pela voz parecia exausto, e ele disse que quase não dormia mais, por causa das duas crianças pequenas que choravam o tempo todo. Meu Deus, elas realmente davam pena.

Há também Steffi, que acabou de completar 18 anos, mas as crianças não são obrigadas a irem embora assim que atingem a maioridade. E o pequeno Benjamin, com apenas 10 anos, para quem Phillip é como um irmão mais velho.

Os dois dormem no mesmo quarto e se entendem bem. Quando tem um problema, Phillip dá todo apoio a Benjamin, mesmo que às vezes também se irrite. A verdade é que o menino não é dos mais espertos, pois a mãe também continuou a beber durante a gravidez. Fica o tempo todo na cola das pessoas puxando-as pela manga para lhes dizer: "Não tenho nada pra fazer."

Mas Phillip é muito paciente com ele. Nisso ele é melhor do que eu, que faria um escândalo se alguém, às seis da manhã, derrubasse uma caixa de Lego no meu quarto, com a barulheira que isso faz. É claro que meu filho não adora ser acordado assim, mas diz:

— De qualquer maneira eu já ia acordar, mamãe. Que importância tem?

Os dias são tremendamente longos. Phillip leva quase uma hora e meia de ônibus para chegar à escola em Potsdam e muitas vezes só volta para casa às seis da tarde. Além do mais, acha a escola horrível. Queixa-se da organização catastrófica e dos professores que se acostumaram a só dar aula para uns poucos alunos, já que o restante, de qualquer forma, não ouve o que se diz. Em vez de tentar tornar as aulas mais interessantes, preocupam-se apenas com os alunos que as acompanham. Fica então cada vez mais difícil para os outros pegarem o bonde andando.

— Um monte deles tem pais ricos que pagam por aulas particulares depois do horário — explicou Phillip, e isso é preocupante.

O serviço de apoio à infância, que remunera a família adotiva, não dá dinheiro extra para aulas particulares. Por isso propus pagar, se ele prometesse passar menos tempo no computador.

Pago também intercâmbios ou outras coisas que o façam aprender se divertindo. São despesas não previstas no orçamento dos Peters, que não recebem tanto para criar seis crianças. Na verdade, é vergonhoso, pois assumem enorme responsabilidade. De qualquer maneira, há pouco tempo Phillip partiu para o País de Gales por dez dias, com um pequeno grupo da escola, em intercâmbio. Podia escolher se ia participar, não era uma viagem escolar tradicional, mas Phillip queria melhorar o inglês e achei bom. É claro que custou 700 euros, mas, se não fizer isso por ele, por quem mais faria? Fico muito feliz de ainda poder fazer esse tipo de coisa!

Phillip ainda não se interessa muito por meninas, acho. Ou então não diz. Não falamos de meninas quando conversamos. Eu mesma acharia estranho. É esquisito falar de coisas assim com a própria mãe. Além de pescar, ele adora informática, jogar e navegar na internet. No início fiquei preocupada, vendo-o o dia inteiro grudado no computador e no celular. Depois, pouco a pouco, ele me explicou e mostrou o que fazia. Continua jogando on-line com amigos mesmo quando está na minha casa em Teltow.

Com a internet, os jovens estão ligados entre si, conversam e jogam em tempo real. Claro que não é como antigamente, quando tínhamos tabuleiros de damas ou bolinhas de gude para brincar com outras crianças, mas, afinal, mantém-se o contato com os amigos. Acho bom. Sempre tive medo de que se tornasse um solitário, mas, pelo contrário, vendo-o jogar, acho que realmente tem espírito de equipe.

Pensando em tudo isso, dei-me conta de uma coisa: mergulhar nos jogos é uma espécie de terapia para ele. Testa seus próprios limites, se exprime e cria coisas. Para os meninos em particular, é importante poder criar algo. Faz com que se tornem melhor em estratégias e se exercitem em história e ciência política. Pois nesses jogos de computador fala-se frequentemente de história colonial, de grupos religiosos ou de economia planificada. Ele até ganha dinheiro, jogando no computador.

Recebe apenas 25 euros por mês do serviço de apoio à infância, para despesas pessoais. Não é muito para um rapaz de 17 anos. É verdade que tem tudo de que precisa e pago sua conta de celular. Mas todo o material que é necessário para jogar no computador custa uma grana. E ele persistentemente economizou por anos para juntar os 600 euros que custou o seu computador. Mas deu um basta, achando que aquilo estava tomando tempo demais. E começou a oferecer ajuda aos vizinhos da família adotiva e a um clube de terceira idade não muito distante, ensinando a usar computadores e a navegar na internet. Para ganhar algum dinheiro. Com isso, há pouco tempo pôde dar a sua mãe adotiva um celular de segunda mão, com acesso à internet, que custou 80 euros.

— Novo, teria custado 500 euros — contou, cheio de orgulho.

Atualmente, economiza para comprar um notebook e passa um tempo enorme se informando sobre qualidade e preço. Fico contente de ver que administra bem o dinheiro que tem. Ganha também uns trocados escrevendo críticas de jogos on-line. Não tenho ideia do que tanto interessa os jovens, mas aparentemente há na internet um importante mercado para jogos comentados. Pelo menos é o que Phillip diz.

O que acho bom é que, jogando, ele fala de mil coisas e não somente da partida. Não sei quem se interessa e paga por isso, mas, segundo ele, pagam 4 centavos de euro por cada seguidor. Phillip sonha em ser como os jogadores profissionais, com 150 mil ou mais seguidores. Esses, sim, fazem um bom dinheiro.

Ele ganha apenas mixarias, mas aproveita também para botar coisas para fora. Durante a partida, fala-se de tudo que passa pela cabeça. Há pouco tempo, enquanto jogava, contou estar irritado por não ter sido eleito representante dos alunos no colégio. Ele já é delegado de turma, mas queria muito ser representante dos alunos também. E foi o outro delegado de turma — no colégio eles são sempre dois — que afinal foi escolhido.

Aparentemente o representante dos alunos que deixava o cargo fez mil elogios ao outro candidato em seu discurso de fim de mandato. Phillip achava que até então tinha mais intenções de voto, mas muitos alunos votaram no outro, já que o ex-representante o apoiava. Ficou realmente decepcionado, estava supertriste. Pois queria fazer um monte de coisas na escola. Por exemplo, mobilizar os colegas para pedir aulas melhores aos professores. Aulas que fossem divertidas e instrutivas ao mesmo tempo. Achava a sua a "pior escola de Potsdam". Era o que sempre dizia.

Há pouco tempo se irritou por causa de uma nota baixa em matemática. Quando me contou, achei mais do que razoável e ele continuou furioso:

— Mamãe, ninguém teve nota melhor. Realmente ninguém. Ou a prova era difícil demais ou o professor tem alguma coisa contra nós.

Como não foi eleito representante dos alunos, postulou transferência para um centro de formação profissional, que funciona apenas em Brandeburgo e em Berlim. São estabelecimentos que oferecem especialização em determinada profissão, mas nos quais se pode também fazer a prova de admissão às faculdades. Phillip estava no intercâmbio ao País de Gales quando chegou a confirmação. Por Deus, como ficou contente quando contei a ele!

Depois me disse que pensava permanecer com os Peters até os 20 anos de idade. Reclamei:

— Que belo projeto! Viver à custa do Estado sem precisar fazer nada.

Mas ele se justificou:

— Muitos pais estariam bem contentes de ver o filho ter um aprendizado assim. Mas é impossível trabalhar ao mesmo tempo.

Não pude negar que tinha razão. Ele sabe o que dizer para me convencer nesses casos.

Para não fazê-lo trocar mais uma vez de escola, não fiz nada para que voltasse para casa quando recuperei o direito, em 2010. Pois agora inclusive acho que as coisas estão bem, da maneira como se encaminharam. Os Peters oferecem vantagens que não tenho como oferecer. Para começar, fazem com que ele aprenda a cuidar dos outros, dos irmãos e irmãs menores na família adotiva.

Mesmo sem ser perfeito, pois ninguém é, Phillip é um ótimo menino. Confesso, porém, que de vez em quando realmente me dá nos nervos. Por exemplo, quando não consigo fazer com que ponha o nariz fora de casa, estando aqui.

Quando ligo a televisão, acabo sempre vendo documentários — sobre países, animais, viagens. Já ele, só assiste a programas totalmente idiotas. Ou comédias. Adora rir. Antes, era obrigada a uma vez por semana ver com ele um programa tipo videocassetadas, mas achava engraçadas as situações com crianças e animais.

Frequentemente leio biografias. A vida me interessa. Gosto de saber como as pessoas funcionam. E fico contente de ver que Phillip também está lendo. No momento da separação, com todos os problemas pelos quais passou, ele se refugiou no mundo dos livros. Leu os sete volumes de *Harry Potter*, todos muito rapidamente.

Não leu *Eu, Christiane F., 13 anos, drogada, prostituída...* Para quê? Os Peters e eu conseguimos uma dispensa da aula quando a professora de alemão teve a ideia, para nós não muito apropriada, de falar do meu livro em aula — era dispensável ouvir os colegas dizerem o que pensavam de sua mãe. E como ele poderia analisar o livro objetivamente? Realmente falta sensibilidade a certas pessoas que lidam com crianças!

Mas contei a Phillip tudo que há no livro. E ele sabe, evidentemente, o que se passou entre o seu pai e eu. Não é nenhum idiota. Sempre tomei o cuidado de tratá-lo como alguém inteligente, pois Phillip merece. Sempre mereceu que eu fosse sincera com ele.

A última vez que esteve aqui, eu me sentei atrás dele no colchão e alisei seus cabelos. Depois contei que sua mãe não duraria mais muito tempo e que queria tornar os momentos que passávamos juntos os mais bonitos possíveis.

11

Família cilada

Meus pais não me ensinaram muitas coisas boas. Mesmo assim, tenho pena, pensando em tudo que passaram com a publicação de *Eu, Christiane F., 13 anos, drogada, prostituída...* São meus pais, sempre serão, e não os exporia mais daquela maneira diante de todo mundo. Hoje em dia tomo muito cuidado com as palavras que utilizo quando falo deles. Não é fácil, já que não quero também deformar a verdade.

Boa parte do que me aconteceu e do que sou hoje vem da minha infância. Inclusive coisas boas: se foi tão importante para mim que meu filho e eu nos alimentássemos bem ou também que ele aprendesse a ser organizado foi por ter sentido falta disso quando era criança. Anette e eu, na época em que íamos à escola, nos revezávamos para preparar o café da manhã e passear um pouco com o cachorro. Meus pais não faziam isso. Por exemplo, nunca levaram meu dogue Ajax ao veterinário. Muitas vezes, para que comesse, jogavam apenas carne crua: fígado, rim, vísceras... Coisas que estavam por ali há dias, e o cachorro nem era tratado com vermífugo.

Lembro-me ainda de algo que aconteceu logo que nos mudamos para o grande apartamento do conjunto Gropius e minha mãe retomou o emprego de secretária. No terceiro dia, ela desmoronou e se desmanchou em lágrimas. Uma verdadeira crise de nervos:

— Deus do céu, não aguento mais! Vejam só isso. O que andaram fazendo? — gritou, como se tivéssemos posto fogo na casa.

— O que fizemos? Brincamos!

Nada demais, o que fazem todas as crianças. Alguma sujeira, alguma bagunça. Minha irmã tinha 7 anos, e eu, 8.

Pouco tempo depois, conhecemos Gundula Köstner, de 12 anos. Morava no terceiro andar e tinha duas irmãs, Anne e Victoria. As três meninas cuidaram muito de nós, principalmente quando meu avô morreu. Quando isso aconteceu, meus pais nos deixaram sozinhas em casa. A família da minha mãe morava na região de Hesse, e Anette e eu tínhamos que ir de manhã sozinhas à escola. À tarde, quando voltávamos, as filhas dos vizinhos tomavam conta de nós — isso quando podiam. Dá para imaginar? Em qual tipo de família algo assim acontece? Éramos completamente abandonadas. As meninas é que nos ensinaram também como cuidar da casa. Como regar as plantas, descer com o cachorro, lavar a louça. E havia também os pombos-correio que meu pai criava na varanda. Uns vinte ou trinta que faziam uma sujeirada danada. Era muita responsabilidade para nós.

Agora, já há vários anos, meu pai vive na Tailândia. Conheceu Phillip quando veio com a mulher tailandesa e a filha morar em Berlim. Nessa época trabalhou como motorista de táxi por algum tempo. Mas depois voltou para lá com o dinheiro da aposentadoria. Provavelmente quem não tem muito dinheiro vive melhor na Ásia do que na Alemanha.

Não sei quantos irmãos e irmãs tenho por parte de pai. Acho que três. Conheço uma meia-irmã semitailandesa que deve estar perto dos 30 anos agora. Se nada mudou desde a última vez que nos vimos, deve viver do seguro-desemprego, como todos, ou quase, da minha família. Mora em Berlim. Meu pai, que não quer mais ouvir falar de mim, proibiu qualquer relação comigo. Mesmo assim, há pouco tempo, fui à casa dela no dia de ano-novo e deixei na caixa de correio meu número de telefone num pedaço de papel. Ela não ligou.

Meu pai era alcoólatra e violento, mas também era muito protetor. Ninguém podia tocar num fio de cabelo meu. Nem a polícia podia se meter a me prender, como o tal doutor Brecht, da delegacia de entorpecentes, descobriu por conta própria. Quando éramos crianças, um dos nossos vizinhos do conjunto Gropius também passou por isso. O sujeito disse alguma coisa desagradável a Anette e a mim na entrada do edifício. Meu pai estava comendo quando contamos o ocorrido. Ele jogou o garfo para cima e tudo mais:

— Cadê a chave? Onde está o cara?

O homem, com seus 45 anos, barrigudo e desempregado, morava dois andares abaixo de nós. Papai foi diretamente até lá, tocou a campainha e deu-lhe um soco no nariz. A partir daí, o sujeito tomava todo cuidado para nem passar perto de nós.

Mas tinha ainda outras qualidades. Todas as minhas colegas de escola eram apaixonadas por ele. Era charmoso, inteligente e sabia exatamente o que queria. O que significa também que quem não obedecia corria riscos. Inclusive eu. Fazia projetos ambiciosos que sempre fracassavam e provavelmente me considerava meio responsável por isso.

Ele tentou abrir uma agência de casamentos em Berlim, com fotos que seriam enviadas às pessoas, perfis personalizados e tudo mais. De maneira geral, era uma boa ideia, mas, por uma falta de sorte, lá pela metade dos anos 1960 era avançada demais. Hoje em dia muita gente utiliza esse tipo de coisa, mas na época era ousado. Não deu certo. Foi preciso deixar o apartamento de cinco cômodos, que dava diretamente para a margem Paul-Lincke do canal e que custava 500 marcos, uma fortuna para nós.

Quanto mais os projetos iam por água abaixo, mais ele ficava violento nas suas crises raivosas. Tinha só 25 anos, era um garoto, e seus sonhos explodiam no ar, um depois do outro. Acho que o meu nascimento o forçou a deixar de lado seus sonhos e necessidades, e por isso fui tão maltratada. Não posso reclamar. Era tão vítima quanto nós.

Minha mãe é que ganhava o sustento da família, trabalhando como secretária na editora Springer. E ele bebia boa parte desse dinheiro ou gastava com seu ridículo Fusca que o ajudava a manter as aparências. Não era fácil para um homem ver que sua mulher que garantia as necessidades da família.

As demonstrações de força e os castigos eram a única maneira que sobrava para se sentir respeitado. E pode-se dizer que sabia como humilhar os outros. Quando minha mãe ganhou uns quilos por estar grávida, ele começou a chamá-la de "leitoa". Por causa disso, ela começou a acreditar que não merecia ser amada e aquilo me marcou enormemente. Desde então, detesto quem critica o físico dos outros, fico louca com isso. As pessoas não devem ser tratadas dessa maneira, machuca muito. Provavelmente por isso tomo tanto cuidado com a silhueta. Quando era mais jovem cheguei a ser literalmente esquelética. Muitas vezes fiquei sem comer por dias, só bebendo. Podia aguentar qualquer coisa, menos ser gorda, pois desde pequena me diziam que ser gordo era horrível.

Meu pai sabia também decepcionar as crianças. Não economizava gastos consigo mesmo, mas já era muito, para nós, ganhar um suéter quente de presente de Natal. Meu maior sonho era um pequeno bote inflável. Sem nada de extraordinário, só o bote e dois remos. Devia custar uns 50 marcos.

— Claro, vou comprar — dizia ele antes da Páscoa.

Nada.

— No seu aniversário — prometia.

Mas nasci no dia 20 de maio.

— De qualquer maneira, antes disso não faz calor e não vai poder usá-lo.

Mas até o Natal seguinte nada acontecia.

— Não tem problema, só vai poder aproveitar mesmo quando for verão.

A gente acabava desistindo de pedir, apesar de continuar sonhando secretamente que papai não tivesse esquecido.

Não vou dizer que tinha razão, mas eu compreendia, mesmo assim. E como muitas mulheres, sempre procurei homens que se parecessem com meu pai. Que fossem dominadores, mas com tantos problemas pessoais que precisassem me rebaixar para se sentir melhor. Todos os homens que conheci tinham menos dinheiro do que eu, como era o caso entre os meus pais. E todos eram mais ou menos como ele, provocando um misto de medo e atração, com uma arrogância implacável e um idealismo desesperado. Sempre caí nessa — esperando inconscientemente, quem sabe, dessa vez não me sentir tão impotente quanto diante do meu pai, dessa vez não me decepcionar e finalmente ganhar meu bote inflável. Mas foi sempre como antes, só dor e frustração.

Minha irmã, aos 16 anos, passou a viver nos *squats** de Kreuzberg. Nos anos 1970 e 1980, centenas de adolescentes e jovens adultos, sobretudo os de esquerda, decidiram ocupar prédios vazios que seriam demolidos, em reação à política de renovação praticada pelo Senado e à penúria de moradia.

Quando a polícia tentou evacuá-los, combates de rua estouraram, durando às vezes vários dias. Muitos dos invasores eram politicamente independentes, vindos da extrema esquerda ou do anarquismo.

Primeiro se uniram para resistir contra os políticos e a polícia. Em seguida, porém, vieram também conflitos entre os *squatters*: o que fazer com o espaço de habitação pelo qual tinham lutado juntos? Quem concordava em investir algum dinheiro na moradia? Quanto? Muitos dos que vinham de famílias burguesas voltaram às suas vidas anteriores. Outros se instalaram de vez nos *squats*.

Frequentemente saíam no tapa. No meio disso tudo, estava minha irmã, que não suportava o menor estresse. Por causa das brigas generalizadas, estava com os nervos à flor da pele, mas também não queria ir embora, pois não tinha para onde ir. Mas acabou encontrando um lugar em que se sentia em casa.

A área ocupada em Waldemerstraße tinha centenas de metros quadrados. Havia um edifício principal, onde hoje em dia moram turcos, e duas alas com um depósito que servia de abrigo para ferramentas e toneladas de comida, como queijos e charcutaria.

---

* Casas ou prédios abandonados e que eram invadidos, sendo a invasão muitas vezes tolerada por motivos sociais. (N.T.)

Mesmo dentro do prédio tinha-se a impressão de estar ao ar livre. Plantas cresciam por todo lugar em grandes bacias, os cômodos eram imensos e havia uma escada caracol levando ao segundo andar. Embaixo ficavam a sala de estar e a cozinha. Em cima, quartos individuais, dormitórios e banheiro. A maior parte dos lugares de dormir tinha como divisória apenas panos estampados bem finos.

Anette morou ali uns dez anos com o companheiro e a filha. Quer dizer, mais ou menos isso, pois no fundo era uma espécie de vida comunitária em que as pessoas defendiam um ideal de amor livre. Depois de se separar do cara, continuou a viver sob o mesmo teto que ele, sua nova mulher e os filhos deles por quase dois anos. Fez isso por amor à filha. Depois, o cara foi para a Itália, onde administra uma criação de gado orgânico, que funciona muito bem.

A filha de Anette também acabou indo embora. Estuda Letras. Herdou da mãe o gosto pelas línguas. Deve ter hoje mais ou menos 30 anos, a mesma idade que minha meia-irmã da Tailândia. Tem também algo de exótico: o nome. É um magnífico nome indiano que não vou dizer, pois é a única em toda a Alemanha a se chamar assim. Deixa claro que nasceu ao amanhecer e que minha irmã viveu plenamente a época hippie.

Quando eu era adolescente e morava em Hamburgo, recebi um dia uma carta da minha irmã, em que dizia que havia começado a circular heroína entre os seus amigos. Eram hippies como os que Panagiotis havia conhecido e tinham também ido à Índia com o *Magic Bus*, ocultando ópio puro em bolotas de cera que engoliam. É menos nojento do que engolir camisinhas de vênus, como também fazem. De qualquer forma, as pessoas não estão nem aí para saber como a droga que as interessa chegou a Berlim: o principal é que ela esteja ali.

Muitas moças em seguida se prostituíram em pequenos bordéis imundos da cidade para comprar a droga. Isso porque não recebiam percentual da vendagem de um livro, como eu. Exibiam-se vestidas de qualquer jeito atrás de vitrines, tendo que se remexer sem cair dos sapatos de salto agulha, apesar de completamente dopadas. Os proxenetas pouco se importavam que mal se aguentassem de pé, contanto que dessem o dinheiro. E elas, por sua vez, faziam qualquer coisa para conseguir.

Conosco, na estação do Zoo, era diferente. Eu não precisava ter relações sexuais nem fazer sexo oral se não quisesse. Às vezes só ficava ali e os caras se masturbavam sozinhos, dando 25 ou 30 marcos em troca. Mais tarde, nos anos 1980, é que a coisa mudou, sobretudo por causa dos proxenetas.

No mundo dos *squatters*, a heroína não circulava tanto. Mas minha irmã estava a par do que acontecia no reduto da droga com as prostitutas e os drogados. Não tenho ideia do que fazia por lá. Alguns anos depois ela se afastou daquela gente. Acho que no início da década de 1990. E desde então leva sua vidinha no seu canto.

Não abre a porta se não estiver esperando alguém. Nem a mim, se batesse sem ter avisado, ela abriria. Detesta, ainda mais do que eu, ser incomodada caso não esteja disposta. Por isso diz a todo mundo: “Se quiser passar, telefone antes! E, se eu não atender, é porque não estou a fim!”

Por vários anos fui visitá-la algumas vezes por semana. Mas agora faz mais de dois anos que não a vejo. Na época, dei a ela um celular. Ela nunca atendia o telefone fixo, com medo de que fosse uma ligação de gente com quem não queria falar — polícia ou alguém do reduto. Ou uma prostituta. Ou nossa mãe.

Com o celular, sabe quem está ligando, por isso lhe dei um. E depois expliquei como funciona: o que é um cartão SIM, como colocá-lo e como gravar os números. No dia seguinte, recebi sua primeira mensagem: "É o meu primeiro SMS". Com o desenho de uma carinha no fim!

Anette, na verdade, queria ser intérprete. É muito boa em línguas, fala correntemente francês, inglês e também um pouco de português. Mas por absoluta falta de confiança, quando era jovem, seguiu um curso de assistente em veterinária que, infelizmente, abandonou em seis meses.

Assim que sua instrutora, uma mulher corpulenta e imponente, a sacudia um pouco por alguma emergência ou por esperar que fosse mais decidida e segura, Anette só tinha vontade de chorar. Não aguentava que lhe dissessem o que fazer, sobretudo se fosse num tom seco. Eram coisas que lembravam demais os momentos difíceis com meu pai.

Das últimas vezes que enviei SMS para ir vê-la, não tive resposta. É mais esperta do que eu e fica quieta no seu canto quando não está bem.

Não tem mais relação alguma com minha mãe há quase trinta anos. Na época, nossa mãe acabara de conhecer Gustav.

Gustav apareceu quando tínhamos cerca de 20 anos. Dirigia, em Moabit, uma firma de limpeza em que minha mãe foi trabalhar como estenodatilógrafa. Todas as secretárias ali giravam em torno do chefe. Eram cinco ao todo e não havia uma que não se interessasse por Gustav, que entrara na empresa em 1963 como estagiário e acabou se tornando o braço direito do dono. Com o desenvolvimento da economia terciária, o negócio cresceu. Como o dono não tinha filhos, Gustav herdou a empresa.

Diga-se também que é um homem com muito charme e poder de sedução. Minha mãe falava sempre, com os olhos brilhando, de como ele escondeu flores na gaveta dela. Foi como começou o namoro entre os dois. Ter um caso com o chefe não é algo que eu faria, e muita gente no escritório não gostou disso.

Ela passou por poucas e boas, pois todo mundo sabia que era amante do chefe. Os dois tinham cerca de 40 anos e, aparentemente, a história entre eles valia a pena: construíram juntos uma casa em Stahnsdorf. Gustav e minha mãe eram novos-ricos e comiam com todos os seus bichos de estimação à mesa.

De qualquer forma, ela mantinha uma boa relação com Klaus, seu ex, que inclusive ajudou Gustav a construir uma sauna na casa de Stahnsdorf. Minha mãe sabe como lidar com os homens!

E há também Sebastian, o pai de Phillip. Ainda nos falamos, sobretudo por causa do nosso filho, é claro. Phillip o vê regularmente. De vez em quando fazem uma pequena viagem juntos ao sul da Alemanha, por exemplo, onde moram os pais de Sebastian. E pescam também. No Brandeburgo, por 12 euros, podem pescar peixes brancos. É um tipo de peixe que não ataca os outros e se alimenta com larvas de insetos, lesmas e plâncton (ao contrário do lúcio e do zander, por exemplo). As carpas e os barbos estão entre os peixes brancos. Como os arenques e outros peixinhos de água doce. Phillip comprou com seu próprio dinheiro o material de pesca. Passava horas com o pai, sentado à beira do lago, e à noite o resultado acabava aterrissando na minha frigideira. Por outro lado, a geladeira estava sempre cheia de milho e de minhocas, que serviriam de isca para os peixes brancos. Um dia, fisgaram uma carpa gigante, tão grande que precisaram unir forças para puxá-la.

Tinha quase a mesma largura que o comprimento, entre 40 e 50 centímetros e 3 ou 4 quilos. Já fora da água, o bicho se sacudia com tanta força no chão que me apavorei:

— Façam alguma coisa, não está morto! Fica abrindo a boca e olhando para mim!

Phillip e o pai evidentemente morreram de rir com meu pânico.

Nos primeiros anos, sempre festejávamos juntos Natal e aniversários, mesmo quando Sebastian já estava com alguma namorada há algum tempo. Não chegávamos a ser uma família de verdade, como as que se veem, porque Sebastian não estava o tempo todo presente, mas algo nos conecta. E os pais dele sempre se preocuparam conosco. Não ouço mais falar dos meus próprios pais há anos, mas os de Sebastian regularmente nos mandam, a Phillip e a mim, pacotes com fotos da família, poemas e guloseimas. Sou muito grata a eles.

Em 2005, Sebastian deixou uma gripe se arrastar por algum tempo. Tinha apenas 30 anos e acabara de terminar um aprendizado de design gráfico, passando a trabalhar numa pequena empresa alemã em ascensão e se mudando para um apartamento próprio em Friedrichshain. Mantinha-se desintoxicado, mas trabalhava enormemente durante a semana e se esbaldava nos sábados e domingos. Não sei se nessas ocasiões usava alguns estimulantes e, se fosse o caso, quais. De qualquer forma, não se cuidou, a gripe se tornou pneumonia e virou uma embolia pulmonar. Quando começou a doer muito, procurou um hospital, mas resolveu não se internar, em princípio por causa de um estágio que queria muito fazer.

Prometeu voltar ao hospital assim que terminasse a tal formação, que era de três dias. Mas o corpo não aguentou e logo no dia seguinte veio uma crise e ele foi posto em coma induzido pelos médicos, pois seu estado se tornara crítico. Ficou três meses internado. A mãe dele, uma mulher adorável de cabelos louros e curtos, além de um sorriso encantador, ficou no apartamento com a nova namorada do filho, que por acaso era enfermeira e lutou para mantê-lo vivo. Revezávamo-nos para ficar com ele no hospital e tomar conta de Phillip. Não o levava comigo, pois tinha somente 9 anos e não era bom que visse o pai naquele estado, com um monte de aparelhos em volta. Presenciar uma cena dessas marca a vida de qualquer criança. Só no dia 31 de dezembro deixamos que desse um rápido telefonema ao pai. Sebastian precisou da cânula traqueal para falar.

Depois de ser tirado do coma pelos médicos, ele ainda foi operado por causa de um abcesso que se formara nos pulmões. Para a retirada, foi preciso extrair três costelas e, depois disso, nada mais protegia seu coração. Levou uma eternidade até que pudesse se colocar mais ou menos de pé. E, no momento em que finalmente foi para casa, autorizado a ficar sozinho e andar um pouco, foi atropelado por um ônibus e novamente ficou entre a vida e a morte.

Temíamos que algo assim pudesse acontecer, pois Sebastian é dessas pessoas que leem andando na rua. Nem sei quantas vezes já teve a vida salva no último segundo, no momento em que um carro ou um desses ciclistas loucos — como há centenas de milhares em Berlim — passava bem debaixo do seu nariz. E pronto! Foi o que aconteceu em 2006, um ano depois da gripe que havia degenerado.

Com a pancada, as costelas que restavam foram esmigalhadas. Houve hemorragias internas. O ônibus o pegou em cheio na Alexanderplatz. Depois do acidente, ele teve que se tratar com opiáceos e, é claro, voltou a mergulhar no vício.

Com todas essas coisas, ficou sem poder trabalhar por um bom tempo, e a relação com a namorada infelizmente também não se aguentou. Mas o apartamento em que ele mora é realmente bonito. É desses com que muita gente sonha, com piso antigo, estuques e tudo mais. Várias vezes por ano Phillip vai passar um fim de semana lá. Às vezes partem também por alguns dias em viagem. Sebastian está agora com 40 anos e faz o que pode para se safar. Nunca conseguiu realmente se recuperar, tanto profissionalmente quanto com relação à saúde.

12

Minhas sombras

Ninguém acredita em mim e posso entender. Se me contassem uma história dessas há vinte ou trinta anos, veria nisso apenas uma tentativa desesperada de chamar atenção. Como fazem algumas crianças que vêm de um meio social difícil e querem que se ocupem delas. Hoje em dia, até os psicólogos de quinta categoria sabem perfeitamente que as crianças que mais se arrastam nas aulas e inventam as mentiras mais malucas no fundo só querem um carinho e alguém que realmente se interesse pelo que acontece com elas. Infelizmente, a maioria dos professores não compreende isso.

Há também adultos que imaginam histórias completamente loucas e estão o tempo todo contando as dificuldades que precisaram superar e todas as desgraças que se abateram sobre eles. Como se realmente o universo não tivesse mais o que fazer além de persegui-los. E pessoas assim dão tanta importância a si mesmas apenas porque ninguém dá atenção a elas.

Causam pena, pois na maioria das vezes se sentem sozinhas, e então cuido delas e as ouço, pois infelizmente sei muito bem a diferença que faz poder confiar em alguém ou ser mandado às favas. Um ouvido amigo às vezes vale mais do que todo o ouro do mundo.

A mim não faltam dinheiro nem atenção. Mas perdi um monte de amigos que me acham louca, por ter falado dos meus problemas. E o pior nisto tudo é sentir que estou marcada dessa maneira, não a *junkie-star*, mas a louca de plantão. Às vezes isso me deprime e não consigo parar de chorar o dia inteiro, de tanto que machuca.

Gostaria apenas que os que não acreditam me deixem em paz. Todos os jornais disseram que tenho alucinações. E acreditem: um monte de vezes torci para que estivessem certos, que tudo só se passasse na minha cabeça. Que um médico ou um tratamento pudesse me tirar dessa.

Talvez seja verdade, talvez seja somente o problema que tenho com a fama. Não sei. De qualquer forma, porém, para mim tudo isso é bem real — e não desejo a ninguém, nem a meu pior inimigo, ter que viver coisa semelhante. Isso dura há mais de 25 anos.

No período de prisão em Plötzensee, aprendi a ver se alguém tinha entrado na minha cela enquanto eu não estava. As guardas diariamente visitavam pelo menos três ao acaso e muito frequentemente tudo era vasculhado. Chamávamos nossas celas de quartinhos — à noite, na hora de fechar as trancas, nos diziam: "Voltem para os seus quartinhos." As buscas não eram dadas na presença das prisioneiras, e sim durante o dia, quando estávamos executando as tarefas. Nada disso era segredo, todas sabiam dos controles. Mas não devíamos ver como nem onde eram feitos, para que não pudéssemos nos preparar.

Por exemplo, quando meu pacote de tabaco não estava fechado do jeito a que me habituei, eu notava: na época, eu arrancava aquelas linguetas autocolantes idiotas, que de qualquer maneira não grudam nada, e passava a parte de cima para dentro do pacote, como se fosse um envelope. Depois dobrava o volume mais uma vez e deixava o pacote sempre com a parte mais fina para baixo.

Fazia a mesma coisa com a pasta de dente. Sempre apertei o tubo de baixo para cima. Na época, via às vezes que estava no copo da pia, de qualquer maneira. Nas roupas, notava imediatamente qualquer amassado que tivesse aparecido. Sempre tive mania de roupas bem-dobradas, simplesmente por não gostar de passar a ferro. Além disso, minhas coisas estavam todas arrumadas numa prateleira que ficava à mostra, então qualquer mudança saltava às vistas.

De vez em quando as guardas deixavam também as marcas dos pés. O piso era de concreto escuro. Facilmente se viam sujeiras trazidas de fora nos sapatos, sobretudo quando o sol atravessava a janela.

Se considerarmos o fato de que desrespeitei a lei contra entorpecentes, nada fiz de grave na vida. Tudo bem, quando era menina uma vez roubei uma barrinha de amendoim Mr. Tom. Estava com fome e não tinha o suficiente para comprar o que queria com o dinheiro que havia ganhado devolvendo nossas garrafas vazias. Dava mais ou menos 2 marcos, que eu tinha ainda que dividir com minha irmã. Não conseguia me decidir entre um pãozinho ou alguma coisa doce. De repente, roubei a barrinha de Mr. Tom, mas na hora estava com tanto medo que fui pega.

Hoje em dia nem como mais isso, pois volto a ter a mesma vergonha que senti naquele dia. Até hoje imediatamente notam se estiver escondendo alguma coisa ou mentindo. Tenho tanto medo de ser flagrada e ter problemas que a expressão do meu rosto muda e começo a me comportar e falar de forma completamente diferente da normal. A consciência pesada fica estampada na minha cara.

Afinal, não sou nenhuma delinquente perigosa. Não trafico. Pra quê? Tenho dinheiro. Por que então me meteria a vender drogas? Pelo gosto do risco? Não, minha vida já é excitante demais sem isso! Não preciso pensar em fazer receptação e menos ainda me interesso por política.

Não sou terrorista nem membro da maçonaria ou dos illuminati. Nem da cientologia e sequer fui escoteira. Por isso é que não entendo o que "eles" querem comigo.

Talvez achem que sou importante, só por conhecer um monte de gente que é. Não sei. Não tenho a menor ideia de quem sejam. Mas sabem tudo a meu respeito. Sabem quanto tenho no banco e contabilizam cada centavo que gasto. Sei disso porque percebi que roubam exatamente as coisas que acabo de comprar.

Sobretudo roupas, mas também discos e objetos do cotidiano, como fumo, isqueiro e até pilhas. Já comida não roubam, isso não. Mas gostam especialmente do que é pessoal, como cartas e álbuns fotográficos.

Em todo caso, ficam de olho na minha correspondência. Nas cartas do imposto de renda, por exemplo, ou nos pareceres da administração penitenciária — papelada que pode me pôr em maus lençóis se eu não responder a tempo. Em um ano, precisei trocar cinco vezes de telefone celular, pois foram todos clonados. Não sei o que querem comigo, já que não me prenderam nem me sequestraram. E não procuram também obter informações a meu respeito com meus amigos ou conhecidos. Por isso é que ninguém acredita em mim. Obviamente o único objetivo dessas pessoas é me fazer passar por louca aos olhos de todo mundo.

E não estão longe de conseguir me enlouquecer. Toda vez que entro em casa vejo que vieram. A televisão está de novo ligada na parede, enquanto a última coisa que fiz saindo do apartamento foi tirar o fio da tomada. Detesto desperdiçar eletricidade. Tiro tudo da tomada antes de sair.

Querem que eu saiba que vieram. Depois dessas invasões, o apartamento não fica revirado de cabeça para baixo como nos filmes. Não! Apenas deixam pequenos sinais que somente eu percebo — como antes, na prisão, quando os quartinhos eram revistados.

Não sei se isto de ser vigiada tem a ver com a estadia em Plötzensee. Desconfio, mas não posso provar, que minha mãe é quem está por trás disso tudo.

No início dos anos 1980, ela tentou fazer com que eu fosse posta sob tutela. Logo depois de eu ter voltado a usar drogas. Isso pode talvez fazer com que se compreenda o que minha mãe tentou. Acho que, à maneira dela, quis salvar minha vida. Foi por isso que chamou a polícia. Em todo caso, é o que prefiro acreditar que quis fazer. Sempre se esforçou para me afastar das drogas. Procurou o Synanon, o Release, todos os órgãos de apoio que existiam quando eu era adolescente. Tirou licenças de trabalho só para verificar se eu não estava escapulindo durante a cura de desintoxicação.

Mais tarde, depois da publicação do livro e de ele ter se tornado um imenso best-seller, minha mãe achou que eu era idiota o bastante para conviver com más pessoas, gastar meu dinheiro em coisas suspeitas e pagar por banheiras cheias de heroína. No entanto, não fiz nada disso.

Quem pode se gabar de ter sido capaz de viver por mais de 35 anos graças às vendas de um livro? Ainda mais considerando que a soma é dividida por três, Horst Rieck, Kai Hermann e eu!

Se tenho dinheiro ainda hoje é porque sempre tomei cuidado e apliquei, por exemplo em seguros de vida. E isso foi graças aos conselheiros do meu banco em Colônia. Francamente, quem venderia um seguro de vida a uma dependente de heroína? Foi o que fizeram, no entanto. E não só uma, mas duas vezes. E depois recuperei o dinheiro dos dois seguros com juros.

A maior parte do dinheiro na verdade se foi com a minha família. Quando, aos 18 anos, pude enfim ter acesso às poupanças e contas bancárias em que tinham sido depositados o adiantamento e os percentuais de vendagem do livro, já faltavam 100 mil marcos. Eu sabia que minha tia havia dado uma parte ao marido, quando o deixou. Mas onde estava o resto? E, quando voltei da Grécia, encontrei nas minhas contas exatamente a mesma soma que havia antes de partir. Os juros que deveria ter recebido naqueles sete anos não foram depositados.

As pessoas que me perseguem hoje me vigiaram mesmo quando estava na Grécia. Um deles era um ruivo, um *ginger*. Não sabia que eram chamados assim. Aparentemente é um insulto tirado de *ginger gen*, o gene que deu origem à pele branca, cabelos ruivos e sardas.

Foi com Panagiotis que ouvi essa palavra pela primeira vez, e o homem em questão era alemão. Um sujeito enorme, sempre encharcado de suor. Usava sandálias Birkenstock e shorts apertados demais, panturrilhas grandes e pelos louros nas pernas.

Foi em 1989, ano em que provavelmente peguei hepatite porque nossa seringa estava rombuda demais e um desconhecido nos emprestou a dele.

Antes de ter visto o *ginger* pela primeira vez, tínhamos ido a Berlim comprar material e instrumentos para nossa loja de tatuagem. Mas, na noite anterior à viagem de volta a Creta, por um voo charter que encontramos a 180 marcos, com escala em Bucareste, meu passaporte desapareceu. Eles é que o tinham roubado, eu sabia, porque queriam partir ao mesmo tempo e eu tinha sido rápida demais. Não imaginavam que eu fosse embora tão cedo.

Reviramos o apartamento de cima a baixo sem encontrar o passaporte. Acabei tendo que pedir a Panagiotis que fosse sozinho antes de mim.

Ele ficou furioso, achando que eu tinha armado aquilo para poder me aplicar um pouco de heroína a mais, estando sozinha, pois havíamos programado largar tudo aquilo assim que voltássemos. Era o que Panagiotis queria. Acho que, se ainda estiver vivo, hoje em dia deve estar limpo. Tinha horror a ser *junkie*, porque a libido diminui, a virilidade fica abalada, tudo se desmonta e um cara jovem em menos de dois anos se torna um verdadeiro vovô. Ele não queria ser *junkie*.

Achei meu passaporte no mesmo dia da partida de Panagiotis, mas depois de o avião ter decolado. No bolso traseiro de uma calça jeans em que nunca o coloco, com medo de perdê-lo. Tínhamos olhado três vezes aquela calça sem encontrar. Cheguei então em Creta dois dias depois de Panagiotis e começamos a cura de desintoxicação. Normalmente, com duas ou três semanas, a gente começa a sentir menos mal-estar e se entusiasma, volta à tona.

Mas não conseguíamos subir a ladeira, ficávamos mal assim que bebíamos — era na verdade por causa da hepatite, contra a qual nosso organismo lutava. Decidimos então mudar de lugar e fomos para um vilarejo, 6 quilômetros mais ao sul. Uma noite, Panagiotis me disse:

— Tem um casal alemão no vilarejo.

E respondi:

— E daí? Não tenho a menor vontade de falar com alemães, é por isso que estou na Grécia!

Bom, estava em plena crise de abstinência, o que sempre causa bastante irritação.

Não falamos mais disso até que eu visse com meus próprios olhos o *ginger* na praia, pela primeira vez. Usava imensos óculos escuros e um chapéu de couro. A mulher era tão branca quanto ele, mas loura. Faziam piquenique na areia e, apesar de estarmos ainda no início do mês de março, ou seja, não ser período de férias na Alemanha, não estranhei.

Uma vez recuperados, partimos para Mirtos e Terza, outros pequenos lugarejos. E quando, certa noite, o *ginger* e a mulher se sentaram perto de nós no restaurante, acabou caindo a ficha de que estavam ali por nossa causa. E de ouvido atento, escutando nossa conversa. Mas sem nem por isso falar conosco.

Acho que a minha mãe é a mandante de tudo isso. Já havia me denunciado à polícia uma vez em que fui a Berlim sem autorização, entre a estadia na GeSa e a prisão em Plötzensee. Anna Keel havia prometido à justiça me manter sob sua vigilância em Zurique. Mesmo assim, fui uma vez a Berlim. Infelizmente estava apaixonada pelo britânico viciado em *speed* e fiz a viagem só para estar com ele.

Minha mãe era a única a saber e deve ter me entregado à polícia, do contrário os caras não estariam me esperando na porta do avião de volta para Zurique, para ser presa em Berlim. Não fazem coisas assim sem ter um bom motivo. Para mim, foi o que se passou. Mas não posso provar.

No início, eram apenas objetos que desapareciam, um de cada vez, como joias antigas, que tinham sido da minha avó. Primeiro desconfiei de amigos, pois nem todos eram amigos mesmo, e sim conhecidos do reduto. Depois me dei conta de haver alguma coisa estranha quando encontrei meus peixinhos de aquário mortos, no carpete do apartamento da Reuterstraβe. Comprei outros. E a coisa voltou a acontecer. Da segunda vez, foram deixados no chão bem em ordem, um ao lado do outro. Comecei a realmente achar aquilo esquisito. Depois houve a história com o meu rottweiler, e foi aí então que tive certeza de que nada daquilo era normal.

Por 2 mil marcos eu tinha comprado Bronko, um rottweiler de 4 anos, amestrado como cão de guarda. Levei cinco dias até ter coragem de deixá-lo sozinho no apartamento pela primeira vez, com medo de que não me deixasse entrar. Esses animais protegem o território e o desconhecido que tenta entrar obviamente fica em má situação. Eu havia comprado o apartamento da Reuterstraβe em 1982. Tinha três quartos e um deles era de uso exclusivo dos cachorros. As pessoas piravam quando vinham em casa: tinha quinze cães, coleiras por tudo que é lugar e toneladas de ração. Sempre gostei dos cachorros dos *squats* e levei muitos para casa.

Estava em contato com esse meio por causa da minha irmã Anette que, justamente, vivia num *squat*. Eles deixavam os animais cruzar à vontade e tinha sempre um monte de filhotes precisando de cuidado. Foi como acabei montando um verdadeiro canil no apartamento, construído pelo então companheiro de Anette e amigos dele.

Um dia, entrando em casa, percebi que alguém tinha tido problemas e saíra às pressas. Via-se claramente que cadeiras tinham sido usadas para se proteger de Bronko. Os rottweilers são grandes, e aparentemente o intruso não sabia que eu tinha um.

Nessa época, havia também Donna e Igor, além de muitos outros cães. Mas todos ficavam no quarto deles, exceto Bronko, que era bem-comportado e continuava sentado no mesmo lugar até eu voltar. Só que tudo em volta acabava sendo completamente revirado.

Junte-se a isto os vizinhos que começaram a se dar conta do que faziam comigo e começaram a ficar cada vez mais frios. Pouco a pouco percebi que claramente mantinham distância. Ao mesmo tempo, notei que faziam obras no prédio, inclusive à noite e nos finais de semana.

Achei que talvez estivessem colocando microfones e câmeras de vigilância. Realmente havia alguma coisa estranha no ar. Vultos desconhecidos atravessavam o tempo todo o hall do prédio. Gente que apenas ia e vinha sem bater em porta nenhuma, sem entregar nem receber qualquer encomenda.

Eu morava no terceiro andar e havia, tanto acima quanto abaixo, mais dois andares. Estava a par de tudo, via tudo, aquelas pessoas usavam roupas escuras e maletas, às vezes chapéu. De tanto observá-los, acabei notando ser a mim que observavam. Meus vizinhos provavelmente haviam percebido. Por isso ninguém mais queria nem falar comigo. Demonstrando alguma relação, estariam também na mira daquela gente. E isso era algo que ninguém queria.

Quando o convívio com a vizinhança se tornou impossível, vendi o apartamento por quase nada. Não me importava, queria apenas sair dali o mais rápido possível. Através de amigos de amigos, acabei chegando ao apartamento da Pflügerstraße, que tinha o famoso mezanino. E por alguns anos realmente tive sossego. Comecei até a achar que tinha imaginado coisas na Reuterstraße.

Só que, quando Phillip tinha 4 anos, eles recomeçaram. Talvez tenham querido poupá-lo quando ele era muito pequeno, talvez tenham se mantido quietos por Phillip ser ainda bebê. Mas assim que entrou na creche, tudo voltou a se repetir. O mesmo enredo: os vizinhos que eram muito simpáticos de início acabaram vendo que havia alguma coisa errada. Começaram a cochichar a nosso respeito e pararam de nos cumprimentar — todos, menos uma, Jule.

Que também começou então a ter problemas. Tinha um filho da mesma idade que Phillip e os dois gostavam de brincar juntos. Uma tarde, notei que alguém remexia em alguma coisa no andar. Phillip estava fazendo o dever de casa e ouvi um barulho do outro lado da porta. Pelo olho mágico vi um homem com roupas escuras mexendo na fechadura em frente. Nunca o tinha visto na casa de Jule, não sabia quem era. Quando ela voltou à tarde, contei o que havia visto. Ela disse já ter notado duas vezes que a tranca não estava funcionando normalmente e ter tido a impressão de que alguém havia estado em sua casa. Mas achou que podia ser o pai, que tinha a chave. Meses depois, Jule infelizmente partiu para a Baviera.

Em Spandau foi ainda pior. Tivemos que ir buscar duas vezes nosso gato Mickey no sótão, porque o tinham trancado lá. Morávamos no segundo andar, Mickey certamente não subiria sozinho. Phillip era ainda menino, com 6 ou 7 anos e, é claro, estava ao meu lado. Ainda hoje é um dos raros a sempre me dar apoio. Nem sei dizer o quanto isso é importante para mim. Cada criança é em si o tesouro mais precioso do mundo. Mas quando, além disso, ela nos protege nas horas sombrias, sem nem por isso abrir mão de si mesma, essa criança é um milagre.

Para mim, Phillip é um milagre, um milagre permanente e diário, desde que nasceu. Nunca diz que sou louca e que imagino tudo isso. Uma vez, quando estava sentado no chão do apartamento de Spandau, brincando com o Lego, colou o ouvido de repente no piso e disse:

— Mamãe, eles estão aqui embaixo.

Pirei. Mas logo quis saber:

— O quê?

— Psiu! Não faz barulho.

— Terça-feira! Marcaram alguma coisa para terça-feira às três horas.

E, de fato, na terça-feira feira, por volta das quatro horas, houve abaixo de nós uma barulheira dos infernos.

Talvez tudo aquilo ainda fosse para ele uma espécie de brincadeira. Até prefiro que veja assim. É uma grande força. Posso aguentar tudo, mas não que ache que sou uma desiquilibrada. Seria demais para mim.

Agora desconfio que estejam montando guarda e se revezando à noite. Em Teltow também, às vezes ouço alguém entrar no prédio por volta das seis da manhã e andar no apartamento acima do meu para, minutos depois, sair.

Quem são? Não tenho ideia. Não se dão ao trabalho de me fazer acreditar que são vizinhos como os outros. Quando bato lá por causa do barulho que fazem andando e também falando, não abrem. Sempre me deixam plantada diante da porta como se não estivessem, mas posso muito bem ouvi-los.

Preferiria realmente viver na prisão do que assim. Lá pelo menos a gente pode se masturbar sem estar sendo vigiada e também não tem câmera ao lado do banheiro. Não faz muito tempo, quando me pegaram com 4,8 gramas de haxixe e 2,16 gramas de heroína e fui condenada a vinte dias de prisão ou 70 euros de multa pelo tribunal de Tiergarten, preferi ir presa a ter que pagar.

Mas não foi possível. Quem pode pagar tem que pagar: acham melhor receber dinheiro do que ter gastos com você, e daí não deixam escolha.

Por isso é que, em determinado momento, fui ficar com um dos meus conhecidos num abrigo para sem-teto em Neukölln, apesar de não ter direito. Nunca teriam me deixado dormir ali se soubessem quem sou e que tenho um apartamento em Teltow. É uma instituição social chamada GeBeWo e não querem que as pessoas se sirvam dela como se fosse um hotel, pois estão ali para ajudar a quem realmente precisa. E eu preciso, mas ninguém acredita — exceto bons amigos, como Felix, que me recebe lá.

Ele acredita. Mas o que pode fazer? Felix foi um durão de verdade, um traficante que também participou de vários assaltos a bancos. Já esteve na prisão por agressão seguida de morte e roubo qualificado — coisa barra-pesada, quero dizer. Hoje está com 60 anos e parece ter 90. Por causa da droga. Recentemente entrou para um programa de metadona, após quarenta anos de heroína. Dormíamos na mesma cama. Era só um bom amigo, mas um amigo que divide comigo tudo que tem.

Não é muito, mas é bem mais do que dão tantos outros que só se aproveitam de mim. Todas as noites dormíamos com a cabeça de um nos pés do outro num colchão de 90 centímetros por 2 metros. Quando estava deitado de calção e eu olhava suas feias pernas, com aquelas grandes cicatrizes bem profundas que os abcessos deixam nos drogados, e os antebraços cobertos de tatuagens, me dava conta do quanto ele tivera que sobreviver na base da porrada.

É um abrigo misto. A maioria ali recebe o seguro-desemprego, o Hartz IV, mas no dia 10 de cada mês já não tem mais um tostão.

O jeito então é ir em cima de quem passar por perto. Mas não quero falar mal de ninguém, muitos ali são bem legais.

No total são quatro andares com oito quartos cada. À esquerda, ao lado da entrada, há uma quitinete com um fogão elétrico de duas bocas, e o chão, avariado pelo mofo, é coberto por um linóleo com muita marca de queimado e chicletes pisados. Infelizmente é imundo e tudo fede um bocado naquele abrigo. Eu levava uma pantufa porque não tinha coragem de pisar descalça naquele chão. Não consigo realmente entender como vivem assim. Derrubam cerveja e mijam em tudo que é canto, bêbados ou drogados demais para chegar ao quarto ou ao banheiro do corredor. Não podem fazer de outro jeito, são pessoas doentes. Mas não lhes dão condições decentes de vida. Cachorros andam às soltas na casa e pulam com as patas sujas nos lençóis, porque os donos nada fazem. Alguns dos residentes têm feridas tão profundas, de tanto se picar, que elas escorrem o tempo todo.

No primeiro dia, comecei a fazer uma grande faxina no dormitório de Felix, com luvas de borracha e 1 litro de água sanitária. Não deixei de fazer, mesmo sabendo que não adiantaria muito. Mas sem isso não teria aguentado. Precisei lavar o chão três vezes seguidas e a cada uma o pano ficava negro de sujeira, pronto para ir para o lixo. Quando vi que havia um sistema de evacuação no chão do banheiro, fiquei felicíssima, pois só teria que empurrar para ali toda a imundície, sem ter que recolher com a mão.

Mas naquela época estava disposta ao que fosse, só não queria voltar para Teltow. Preferiria dormir do lado de fora e debaixo de chuva, passar a noite na estação ou procurar uma associação, qualquer coisa seria melhor do que ir sozinha para casa. A solidão me dá medo. Sei que não é normal ter preferido ficar ali a estar no meu apartamento. Sei que não há muito na minha vida que seja normal, pela perspectiva das pessoas normais. Frequentemente acho que gostaria que as coisas não fossem assim. No fundo, porém, quem pagava por isso senão eu?

Às vezes, Felix e eu íamos de carro até Teltow para lavar roupa. Supergeneroso, ele nunca aceitava que eu pagasse e tampouco me pedia. É muito diferente dos outros. Por isso não somente deixava que viesse lavar suas coisas, como também de vez em quando permitia que dormisse numa cama limpa. Mesmo que eu mal conseguisse dormir ao lado dele, pois roncava o tempo todo e se mexia muito. Eu era obrigada a dormir do lado da cama que dava para a parede, senão ele me jogava no chão. Houve algum trauma, do qual nunca falava e também nunca me atrevi a fazer perguntas a respeito. Mas a cada noite essa coisa voltava, algo que ele não conseguia digerir. Fico chateada por ele.

Já que me deixavam morar no abrigo, eu cozinhava para todo mundo. Coisas simples, como batatas na manteiga, macarrão ao molho de tomate. Ou preparava um gigantesco prato de grelhados que havia comprado. A comida desaparecia num ritmo alucinante. A maioria deles infelizmente não tem o menor senso de comedimento. Nunca foram ensinados a seguir regras. Em geral, tiveram coisas demais ou de menos: pouca atenção da mãe, carinho físico excessivo por parte do padrasto, distanciamento insuficiente com relação aos problemas dos pais, vazio interno excessivo, muitos maus exemplos, poucas ocasiões de escapar deles, dinheiro insuficiente para poder ir brincar no centro ao ar livre com outras crianças ou, pelo contrário, dinheiro em excesso. São coisas que levam à rebeldia quem quer se livrar de tudo isso.

É o caso de Bernd, meu bom amigo há vinte anos. Um sujeito bem comprido e magro. Ninguém dá nada por ele, mas está sempre acompanhado de belas mulheres. Por quê? Porque é esperto, tem charme; conhece as boas maneiras. E tem no peito um coração afetuoso como o de uma moça. Um verdadeiro romântico. Tudo isso junto acaba dando uma mistura que agrada às mulheres, mesmo que seja um drogado.

Um dia, no abrigo de Felix, vi Bernd lavar a seringa por cima da louça suja. Falta de higiene é algo que não posso aceitar. Afinal, não somos crianças. Sangue é sangue e pode transmitir doenças. Mesmo que seja "azul".

Pois Bernd tem sangue nobre nas veias, mas nunca diz, já que isso traz más recordações. Foi criado com uma colherzinha de prata na boca, mas preferiu trocá-la por uma de sopa, só que cheia de heroína, por não ter autonomia suficiente, liberdade e amor. Todos entenderam isso no dia em que gente da sua família veio de Cambridge a Berlim e revirou todos os abrigos de sem-teto para encontrá-lo.

Achei no início que queriam ajudá-lo, mas depois o acusaram de ser a vergonha da família, uma verdadeira desgraça, e prometeram tomar providência. Ele fugiu como pôde e o ajudamos a se esconder. Ficou uns dias na minha casa em Teltow. Agora vive na rua ou fica com Felix. Mesmo tendo estudado comunicação e trabalhado numa grande empresa alemã, acabou não tendo interesse em mais nada além das drogas.

Fico preocupada com ele. Nem toma mais banho. No abrigo, deixa guimbas por todo lugar, nos vasos de plantas vazios, em que a terra começa a mofar, ou em latas velhas de filé de arenque, de lasanha pronta ou de frango ao curry. E tudo fica ali escancarado. No máximo alguém joga um pouco de água em cima, se o cigarro ainda estiver fazendo fumaça.

Bernd não está nem aí, mas gosto dele mesmo assim. Nada disso me choca, nem o relaxamento nem a sujeira. Não julgo os outros em função das condições em que vivem. E gostaria muito que fizessem o mesmo comigo.

13

Um passado sem futuro

Descobri os inconvenientes da fama pouco depois da publicação do livro. "Christiane F., que legal! Pode me dar um autógrafo? Posso tirar uma foto com você? Mas, por favor, não chegue perto do meu filho e nem venha ser nossa vizinha." Tudo bem, fique à vontade! *Smile!* Obrigada.

E quando se trata de amizade? De hospitalidade? De beber na mesma xícara? Não tem hepatite C? Tenho, é verdade. Mas pelo menos ponho a mão na boca quando tusso ou espirro.

Meu Deus, eu sou e vou continuar sendo uma *junkie-star*. Um animal de feira. Um bicho raro, da espécie "criança da estação do Zoo".

Bem que gostaria de me distanciar de toda essa história de Christiane F.. Ninguém pode imaginar tudo que continuo passando, ainda hoje, simplesmente por ser quem sou. Há vinte anos voltei a morar em Berlim, desde que vim da Grécia. Mesmo assim, não tem um dia em que alguém não venha perguntar:

— Você é Christiane F., não é?

Visivelmente sabem a resposta, seja porque alguém disse ou por terem me reconhecido. Por terem visto meu rosto no jornal ou na televisão. Cheguei até a ver uma foto minha na *Berliner Zeitung* com uma matéria completamente absurda: "O cachorro de Christiane F. me mordeu", em letras garrafais na tela do metrô, estando sentada no vagão. Ninguém olhou para mim e meu chow-chow Leon, mas imediatamente começaram a cochichar: "Olha, é ela sentada ali." Ouço muito bem esse tipo de coisa.

Outros querem uma foto comigo, às vezes com toda a família. Como se fossem pendurá-la na sala! Nós e Christiane F., um sorriso, por favor! É completamente idiota! Querem só mostrar às pessoas como recordação e se gabar com os amigos e colegas: estive com Christiane F.! E, para tornar a coisa mais excitante, adicionam um tempero dizendo que eu estava completamente drogada. Ou que meu cachorro avançou neles ou alguma babaquice desse tipo.

Mas os que me deixam realmente agressiva são os que me enchem com os próprios sofrimentos, como se eu já não tivesse os meus: "Estou pior do que você", dizem. Garantem ser "mais dependentes" do que eu e que teriam uma história "bem pior" que a minha. Como se fosse um concurso: "Em busca do melhor viciado da Alemanha!"

Respondo que não basta ter vivido coisas horríveis para arrancar lágrimas das pessoas. Não estou querendo dizer que fiz algo especial ou que seja alguém especial. Mas muitos dos que leram meu livro, quando foi publicado, se identificaram comigo ou com meus problemas. Outros me leram com carinho. Provavelmente também graças ao trabalho dos dois coautores. À maneira como me descreveram.

De modo geral, não quero que isso mude. O que me faz tentar sempre ser agradável quando alguém vem falar comigo. Ou vão logo dizer: "Christiane F. é uma rabugenta que trata mal seus fãs."

Mas basta que eu pare na Hermannplatz para falar com alguém enquanto estou indo ao médico para que a polícia apareça. Controle de rotina, eles alegam.

Normalmente em menos de um minuto chega também um repórter do *Berliner Zeitung* e pronto! Sou uma velha rabugenta que, afinal de contas, voltou às drogas. É o que acontece. Há jornalistas que inclusive dão dinheiro a drogados de Kottbusser Tor ou da Hermannplatz para que liguem assim que eu aparecer por lá. Outros continuam a perguntar seriamente por onde anda Detlev, meu amigo em *Eu, Christiane F., 13 anos, drogada, prostituída...* Tenho 51 anos, diabos! Quem na minha idade sabe onde se meteu o primeiro namorado?

Assim que ponho os pés em Kotti ou na Hermannplatz, mesmo que seja só para tomar um chocolate quente, toda a imprensa fala de "recaída". E quando leio: "Christiane F. está de volta ao reduto", eu mesma sei que nunca me afastei. Ainda hoje, tenho amigos no reduto berlinense e, quando quero vê-los, sei que é lá que os encontro. Mas evito ao máximo esses locais porque um número assustador de pessoas me reconhece e isso me irrita. Em determinado momento a gente passa da idade de fazer tudo que os outros fazem. Quem quiser comprar ou consumir droga pode fazer isso em qualquer lugar e não só em Kottbusser Tor ou Hemannplatz. São locais marcados demais, aliás, com blitz o tempo todo.

Para a opinião pública, entretanto, sou e continuarei sendo a pequena usuária de heroína, drogada, que se prostituía com outras crianças.

Ter um filho foi a única coisa boa que fiz na vida. Realmente é o que acho. Tenho muito orgulho dele, é um bom menino e tem atitude. Do alto dos seus 17 anos, não se deixa enrolar. Agora quer entrar para a faculdade, estudar informática. Já trabalha por conta própria nessa área. Ajuda idosos a instalar e utilizar computadores. Phillip é como o pai, que trabalha com grafismo: tem um fraco por computadores, smartphones e internet.

Se ainda morasse comigo, certamente se alimentaria melhor. Quando estava em casa, sempre fizemos as refeições em horários regulares. Agora só come pizza e hambúrguer a qualquer hora do dia ou da noite. Quando era pequeno, não gostava de legumes, como muitas crianças, mas eu fazia que os comesse, amassados com um pouco de manteiga. Gostávamos muito de sopas, em que eu colocava inclusive aipo e cenoura. Ele dizia:

— Mamãe, prefiro não saber o que tem dentro, só faça com que fique bom.

Precisava crescer e ficar forte e, com a ajuda do Popeye, eu conseguia que comesse espinafre com um pouco de cebola e creme de leite. Agora tem quase 1,85m e mal chego aos seus ombros.

Eu mesma quase não sinto fome. No entanto, peso 65 quilos e tenho 1,72m. Quatro quilos em excesso, pelo menos para mim. Mas meu corpo não se importa de passar fome, tem boa experiência nesse sentido. Não emagreço mais porque desde os 13 anos não parei de seguir regimes nos quais não comia nada. Com isso, entendi que o corpo acaba se adaptando. Gasta menos energia. A consequência é que engordo mais rapidamente do que pessoas que fizeram menos regime.

Sei que o álcool tem muita caloria. Regimes não fazem o menor sentido para alguém que bebe, sobretudo o tipo de bebida de que gosto: licor! É como se fosse açúcar em pó. Mas vodca e uísque são um veneno para o meu fígado. Acabariam comigo rapidinho, principalmente se combinados com a metadona.

Atualmente, voltei a doses de 8 mililitros de metadona por dia. Há metadona líquida e sob forma de pílula. Ambas agem da mesma maneira, evitando que se sinta a abstinência, fazendo efeito sobre os órgãos receptores. Mas não dá barato e não combate absolutamente o vício. Pelo contrário. É muito mais duro se livrar da metadona do que da heroína. Os sintomas são semelhantes: diarreia, vômito, dores no corpo e ondas de suor. E o desligamento total leva muito mais tempo que o da heroína. Com a heroína, em uma semana você pode estar livre; com a metadona isso pode durar um mês.

Gostaria de voltar a tomar menos metadona. Nos últimos anos, me mantinha quase sempre em 5 mililitros, mas minha saúde vai cada vez pior e, como não consigo ir ao médico todos os dias, quero evitar me sentir mal. Preferiria estar em subdosagem, mas frequentemente isso gera náuseas e insônia.

Fico muito atenta ao que Phillip diz. Conto a ele meus problemas e angústias e também falo das alegrias. Sempre peço seu conselho para me vestir. Podem achar que é uma pressão que imponho, mas, como tenho confiança nele e levo-o a sério, isso significa também que o acho capaz de enfrentar a realidade. A respeito dos homens, da mesma forma, sempre perguntei sua opinião. Quando encontro alguém, pergunto a Phillip:

— Tudo bem com ele?

Se me disser que não, não fico enrolando:

— Sinto muito, meu filho não te suporta, cai fora!

Mas com relação ao alcoolismo, ele não pode me ajudar. Não teria como, aliás. É obrigado a aceitar. Quando está em casa, tento beber o menos possível.

Compro às vezes uma ou duas cervejas para ele. Ofereci uma pela primeira vez quando fez 15 anos, para que experimentasse sob vigilância. À noite, Phillip se deitava sempre no colchão da sala, em frente à nova TV de tela plana que temos, porque adorava jogar Playstation em alta resolução. Comíamos bifes de carne moída com queijo e molho de tomate, é o que ele prefere. Depois víamos *Schlag den Raab*, um programa de competições que ele adora. Eu me sentava perto, na minúscula mesa da cozinha, fazia as unhas com esmalte verde-brilhante e bebia uma cerveja. Com o ar mais convidativo possível, eu perguntava baixinho:

— Quer uma?

Ele respondia, sem se mexer:

— Boa ideia!

Eu então abria uma.

— Na lata ou no copo?

— Lata.

Entregava uma Tuborg e, estando os dois com nossa cerveja na mão, eu avisava:

— Sabe que se beber essa cerveja toda vai dormir antes do final do programa!

O tal programa ia até as quatro da manhã e eram só nove da noite.

— Tudo bem, vou aguentar.

Como todo adolescente, ele se imaginava superforte e, evidentemente, dormia.

Quando era bem pequeno e pegava no sono na frente da televisão, eu o carregava até o quarto dele. Até os 11 anos conseguia pendurá-lo nas costas e ir arrastando. Mas agora tenho mesmo é que acordá-lo e, no máximo, dar um apoio com o braço. Ele está realmente grande, inclusive mais alto que o pai. Dei aquela primeira cerveja porque não queria que passasse pelos "testes de álcool" da escola. Sob vigilância, nas escolas do Brandeburgo, os alunos devem tomar álcool e cumprir tarefas, para que se deem conta do quanto perdem seus reflexos. Fazem isso por causa das bebedeiras dos adolescentes. Proibi isso também por não querer que o acusem de beber. Não quero que desenvolva uma resistência ao álcool como a minha. Posso tomar uma garrafa inteira de Southern Comfort e continuar falando normalmente. Não desejo o mesmo para Phillip.

Mas que influência ainda posso ter? Algo se partiu quando nos separaram. Não só por causa da distância ou por nos vermos apenas de quinze em quinze dias.

Isso se fez por nos tirarem o que tínhamos de melhor: *nós.*

Phillip tinha apenas a mim, e eu, a ele. Nada doentio, era cheio de amor, como acontece entre mães e filhos. Poxa! Tinha só 11 anos! Era meu menino. Meu menino! Perder alguém que a gente ama é a maior dor que pode haver. Quem, de uma maneira ou de outra, já teve que abrir mão de alguém que amava, sabe.

E Phillip? Às vezes acho que ainda tem raiva de mim. Não consegue me perdoar pelas coisas que o fiz passar quando foi tirado de mim. Nem eu consigo. Nunca vou conseguir. Evidentemente eu poderia dar um fim a isso, esquecer o que fiz de errado e fazer as pazes. Há quem consiga. No fundo, porém, faz parte da minha vida nunca largar o sentimento de culpa. Sempre tive muita consciência pesada, desde criança. E não consigo superar, posso apenas afogá-la no álcool ou na droga. Com isso, por um curto espaço de tempo, me sinto melhor.

Ultimamente, toda vez que analisam os resultados dos meus exames de sangue, os médicos se preocupam. Dizem que a infecção está se agravando. E eu sempre respondo:

— Pare de me dizer! Não quero saber.

Não sei quanto tempo me resta de vida. Não faço essa pergunta, me sinto incapaz e não quero ficar pensando na morte. Frequentemente quis que ela viesse. E às vezes, é claro, ela me assusta. Mas, falando sério: quem poderia imaginar que um dia eu chegaria aos 51 anos?

Quando a hora chegar, terá chegado e nada mais. Um dia, meu fígado vai parar de funcionar, meu sangue não se renovará mais e eu acabarei completamente intoxicada. E morrerei disso.

"Para abordar os enigmas ocultos na alegria proporcionada pela embriaguez, é preciso outra vez pensar no fio de Ariadne. Quanto prazer no simples ato de desenrolar um novelo! E esse prazer tem profundo vínculo tanto com o da embriaguez quanto com o da criação. Seguimos em frente e, nesse percurso, não se descobrem apenas os cantos e recantos da caverna em que nos aventuramos. Nele, desfruta-se também da felicidade da descoberta, baseada tão somente no êxtase rítmico que se experimenta ao desenrolar um novelo."

Walter Benjamin, *Fragmentos*

Posfácio

Certa tarde, no verão de 2013, estávamos sentadas num café da Dieffenbachstraße, em Kreuzberg. Christiane estava junto à parede com seu chow-chow Leon esticado ao lado. De costas para a rua e a calçada, não vi uma mulher se aproximar com seu terrier.

Não sei como Christiane os percebeu, pois que eu me lembre em nenhum momento ela tirou os olhos do sanduíche de queijo que havia aguardado com impaciência. De repente, ergueu a cabeça, olhou à minha direita, fechou a cara e disse com voz suave à pessoa que acabava de parar a meu lado:

— Se eu fosse você não faria isso. Se o seu cachorro ficar cheirando o meu, Leon vai se sentir acuado. Atrás dele tem uma parede; em volta, mesas e cadeiras. Ele não terá para onde fugir e atacará o seu cachorro para se proteger. O seu terrier é jovem e não é capaz ainda de pressentir o perigo. E é uma raça que tem personalidade. É preciso adestrá-los para controlar sua agressividade natural.

Desconcertada, a mulher olhou para mim por um instante e depois para Christiane. Puxou enfim a coleira do seu cachorro, que já estava perto demais de Leon, e seguiu seu caminho sem responder.

Christiane deu uma dentada no sanduíche e perguntou, mastigando:

— E a viagem a Paris, é para quando, afinal? Preciso procurar quem tome conta de Leon.

Por um momento, continuei boquiaberta. Não pela maneira como Christiane falou com a desconhecida, mas por me espantar sinceramente com sua avaliação de toda uma situação em pouquíssimos segundos, falando de um assunto completamente diferente.

Christiane percebe com uma intensidade singular tudo que se passa ao seu redor, às vezes com a velocidade de um raio. E com a mesma intensidade capta várias emoções que a deixam com os nervos à flor da pele: é um dos seus traços essenciais, assim como o amor que tem pelos animais. Uma particularidade no interior da qual se dissimulam diversas questões e respostas que a concernem e que claramente mostram tanto seu lado sensível e sentimental quanto suas falhas, sua impressionante força e sua dedicação apaixonante. Quem puder observar Christiane como ela observa o mundo em volta, talvez a compreenda.

Alice Miller, uma psicanalista suíça morta em 2010, descrevia essa capacidade exacerbada de observação como uma "mistureba de emoções", que em Christiane podem ter se originado na infância, de tanto que se viu dividida entre o amor e o ódio paterno. Pois aceitava sem nada dizer as violências e descasos do pai, respeitado e amado apesar de todo sofrimento e humilhação.

Em seu livro *No princípio era a educação*, Miller procurou demonstrar que o prazer que a jovem Christiane F. tinha com a droga podia ser uma espécie de terapia a que ela se submetia para domar aquele caos emocional. Em vez de se entregar à raiva pelo pai, teria optado por acalmar a dor.

Para muitas crianças, compreender os erros dos pais seria mais fácil do que deixar de acreditar neles. Mas a confiança original fica duradouramente perturbada, até a idade adulta. Pelo ponto de vista da psicanálise, a "confiança original" permite que as pessoas percebam e julguem o mundo que as envolve de maneira nuançada e desenvolvam certas qualidades, como a segurança nas suas relações com os outros e consigo mesmo.

Felicidade e infelicidade ainda hoje andam bem próximas na vida de Christiane. Ela às vezes tem dificuldade de confiar nas pessoas, inclusive nela mesma. Há bastante tempo Christiane Felscherinow não lê na mídia algo positivo a seu respeito. Em 2006, o *Frankfurter Rundschau* falava de "sombras do passado", e dez anos antes o *Hamburger Abendblatt* anunciava "A vida perdida da jovem drogada Christiane F.". Na *Park Avenue*, em 2008, lia-se "O combate de Christiane Felscherinow contra Christiane F." e, no mesmo ano, o suplemento de fim de semana do *Berliner Zeitung* citava como título de uma reportagem dedicada a ela a letra de uma música que Christiane gravou aos 20 anos: "Sou tão viciada".

Segundo o *Bild*, ela nunca conseguiu escapar das "sombras do passado". Em janeiro de 2011, o jornal noticiou que Christiane F. tinha novamente sido "vista entre *junkies*". "Christiane F. revistada durante investida contra as drogas" foi o destaque do *Berliner Zeitung* no dia anterior. Os dois tabloides apenas de passagem mencionavam o fato de que, ao revistarem a bolsa de Christiane, nenhum vestígio de droga foi encontrado.

Ainda está viva? Continua drogada? Em geral, essas eram as primeiras perguntas que me faziam ao saberem do trabalho que estávamos realizando juntas. Sem dúvida, é lógico e até legítimo perguntarem se Christiane se manteve uma *junkie* ou não. E a resposta se resume em poucas palavras: sim, as drogas sempre fizeram e continuam fazendo parte de sua vida. Mas, justamente, são apenas parte de sua vida.

Trabalhando com ela e me informando com especialistas no apoio a toxicômanos e no tratamento das dependências, tomei consciência da complexidade do tema. Sobretudo pelas diversas maneiras de ser um dependente de drogas. É evidente que existem toxicômanos que sofrem de exclusão nos planos sanitário e social, pessoas que passaram por múltiplos diagnósticos psiquiátricos, que desistiram de si mesmas e de todo tipo de relação com a sociedade tradicional. Mas um bom número deles nada tem a ver com o reduto que o grande público conhece graças a *Eu, Christiane F., 13 anos, drogada, prostituída...*

Há professores, policiais, banqueiros que consomem heroína regularmente. Há usuários de droga que têm família e se mantêm mais ou menos em boa saúde. Há drogados que não imaginamos que sejam.

Graças ao apoio aos toxicômanos e ao tratamento da dependência, hoje em dia é possível levar uma vida decente apesar do vício. E inclusive envelhecer com isso. Como disse Christiane: "Quem poderia imaginar que um dia eu chegaria aos 51 anos?"

Compreendi durante minhas pesquisas que observar o vício é observar as relações. E é exatamente isso que se esconde por trás dessa autobiografia. Christiane e eu nos aproximamos muito uma da outra — tanto que agora me meto também a falar de cães. Às vezes chegamos a bater de frente. Discutimos, brigamos e frequentemente nos exaurimos.

Por termos ideias diferentes com relação ao nosso planejamento, aconteceu de quase chegarmos às vias de fato e, inclusive, uma vez berramos uma com a outra em plena Alexanderplatz. Na frente de todo mundo. Eu comecei a chorar e, em seguida, ela também. Mas depois das lágrimas vieram as desculpas:

— Por favor, me desculpe, Sonja. Quando me sinto encurralada, sou má e agressiva. É o que muita gente faz comigo. Não estou acostumada a lidar com a possibilidade de funcionar de outra forma — explicou ela.

Fiquei desarmada, acabamos nos abraçando e, alguns meses depois, quando houve a cena com Leon e o pequeno terrier no café da Dieffenbachstraβe, não pude deixar de sorrir pensando: "Pelo visto a lenda de que o cachorro e o seu dono acabam se parecendo após alguns anos de vida em comum não é completamente equivocada."

A etapa mais difícil se deu com o confronto de nossas visões de mundo, nossos valores e hábitos. Mas foi também a mais essencial no caminho que nos levou juntas à execução e publicação deste livro. Não foi, contudo, complicada apenas por questões de proximidade, confiança e compreensão, mas também por razões práticas.

Os problemas de saúde de Christiane e suas condições de vida descritas no livro raramente permitem que se organize um ritmo regular de trabalho. Mobilidade para viajar, por exemplo, é quase impossível para ela, não só por causa de Leon, mas sobretudo tendo em vista o tratamento de substituição que ela segue. Os substitutos da heroína devem ser ingeridos diariamente e só podem ser entregues pelo médico do paciente.

Tivemos a sorte de um antigo médico especialista em substituição ter aceitado dar a Christiane duas doses diárias de metadona para que pudéssemos partir com Leon às margens do Havel, para três dias intensos de trabalho.

Quando entrei em contato com ela pela primeira vez, estava convencida de ser também a última em que ouviria sua voz. Colegas que a conheciam tinham me prevenido: "Ela nota quando estão embromando e se protege imediatamente!" Então fui honesta:

— Bom-dia, me chamo Sonja Vukovic. Sou jornalista do *Die Welt* e gostaria de escrever uma reportagem contando como está você, trinta anos após o lançamento do seu filme — expliquei quando Christiane Felscherinow atendeu ao chamado pelo interfone do seu edifício em Teltow, com um "alô" hesitante e vagamente sonolento.

Era mais ou menos meio-dia, num dia bem frio, no fim de novembro de 2010, e houve apenas uma ligeira inverdade na minha apresentação: faltava ainda um mês para eu realmente ser jornalista.

Eu era estagiária e estava no segundo ano de formação no curso de jornalismo da Axel Springer Akademie, mas já tinha comigo o contrato com o *Die Welt* — e também uma passagem de avião para Nova York, onde todos os formandos da minha turma iriam no início de dezembro do ano seguinte receber seus diplomas. Teríamos dez dias de aulas na Universidade de Columbia e apresentaríamos uma pesquisa de pauta sobre o que seria publicado em seguida num dos veículos da Springer. Esse era o previsto.

Desde os 14 anos trabalhei para diferentes órgãos da imprensa em nível regional e nacional. Fui por exemplo repórter freelancer para o *Rheinische Post*, estagiária no *Der Spiegel* e colaboradora do *Berliner Morgenpost*. Meu interesse claramente sempre se orientou para reportagens biográficas e de crítica social: personalidades extremas e destinos originais me fascinavam.

Voltando ao mês de novembro de 2010 e ao projeto com Christiane Felscherinow, eu havia pedido ajuda a Michael Behrendt, chefe de reportagem do *Berliner Morgenpost* e cronista judicial experiente. Michael já escreveu livros apaixonantes sobre fases complicadas de vida e possui contatos junto a todos os órgãos competentes. Foi a ele que perguntei se não podia me ajudar a descobrir onde morava Christiane. E também se me assistiria, como acompanhante masculino e especialista no assunto, caso eu tivesse que me aventurar pelo reduto da droga berlinense para fazer minhas pesquisas. Apenas duas semanas depois, Michael e eu estávamos então diante do edifício em que Christiane Felscherinow aluga um apartamento desde 2005.

Estava surpresa de ver a que ponto o lugar que ela havia escolhido era pouco animado, com prédios em tijolos aparentes de estilo recente, cercas vivas bem-aparadas, árvores, ruas amplas e bem limpas. Jovens casais se abraçavam em bancos ao redor de um lago. O apartamento de Christiane era em cima de uma loja chamada Casa das Belas Coisas.

Quando ela atendeu o interfone era mais ou menos meio-dia. Depois de me apresentar e dizer o que queria, houve uma pequena pausa e Christiane disse:

— Não é um bom momento, a campainha me acordou. Deixe seu cartão na caixa do correio.

E desligou.

Droga! Tinha escolhido um dia ruim.

Minha ideia era tentar passar o máximo possível a imagem de uma pessoa confiável e seria obrigada a deixar meu cartão de estagiária, contradizendo a forma como me apresentara.

Ouviu-se um zumbido, um clique e a porta de vidro do edifício se abriu. Entrei no hall bem limpo com cerâmica cinza, paredes pintadas de branco e uma escada escura. Procurei entre os oito escaninhos brancos qual tinha o nome Felscherinow. Pronto. Deduzi que morava no terceiro andar. Joguei meu cartão na fenda da caixa e fui embora.

Ainda hoje, Christiane conta essa história sempre que me apresenta a alguém, acrescentando:

— Sonja foi a primeira jornalista a não se aproveitar da oportunidade e correr até a minha porta. Não tentou olhar pelas frestas nem ficou perguntando aos vizinhos: como é viver sob o mesmo teto que Christiane F.?

Respeitando a vontade de Christiane de estar tranquila, havia ganhado o seu respeito.

Já bem tarde no final do dia, depois das oito da noite, meu celular tocou. Número desconhecido.

— Alô, é Christiane — disse uma voz de fumante, mas mais relaxada agora, do outro lado da linha.

Fiquei confusa e ela percebeu.

— Eu disse que ligaria — continuou, como se o fato de cumprir o que disse fosse absolutamente óbvio.

Marcamos de nos encontrar dois dias depois, às sete da noite, no Gaffelhaus do Gendarmenmarkt. No dia marcado, uma hora depois do previsto, ela ainda não havia chegado. Michael e eu já tínhamos pedido a conta quando, de repente, a porta se abriu. Ali estavam os dois: Christiane e Leon.

Mal acreditamos. Era aquela mulher que os jornais antes haviam dito ter chegado ao fundo do poço dois anos atrás? Que, mais de três décadas depois do sucesso que a sua história havia alcançado no mundo inteiro, ainda era suspeita de consumir quantidades enormes de heroína, álcool, remédios? A mulher que, na opinião pública e — até pelo que diziam os jornais — da própria família, não tinha mais a menor chance de escapar? E que supostamente havia perdido tudo — reputação, fortuna, saúde — a ponto de nem ter mais contato com a família e a guarda do filho?

Christiane estava exuberante! Tinha os cabelos bem-tratados e tingidos de vermelho-escuro, sadios, bem penteados, indo além dos ombros. A parca cinza que vestia poderia ser de uma russa elegante de Grunewald. E estava acompanhada daquele pequeno chow-chow com ar atrevido.

— Uau, está um calor de matar aqui! — exclamou antes até de nos cumprimentar e amarrando Leon no aquecedor, diante do vidro que dava para fora.

Nevava, mas Christiane tinha a testa banhada de suor. Hoje sei que é um efeito secundário da terapia de substituição e da hepatite. Sentando-se, arregaçou as mangas do pulôver lilás de gola rulê, pediu um suco de maçã e fixou em nós seus grandes olhos verdes que todo mundo conhece. Tinha-os realçado com rímel preto, os lábios e as unhas vermelhos. Somente as cicatrizes no dorso das mãos, depois que tirou as luvas de lã preta, comprovavam que aquela deslumbrante mulher de vulto esbelto, então com 49 anos, era a mais célebre *junkie* da Alemanha.

Não foi preciso que nos apresentássemos nem que fizéssemos qualquer pergunta. Christiane falava aos borbotões. De tudo que a interessava. Das inundações que vinham afetando muitos alemães. "Ela parece saber em que altura está o nível da água hoje do Main, do Oder e do Ems", pensei. Passava sem parar de um assunto a outro, como se respondesse a si mesma. Depois das fortes chuvas, passou a falar de *Ich bin ein Star, holt mich hier raus,** em que Sarah Knappik choramingava o tempo todo.

— Me chamaram para me juntar a eles na selva australiana — disse. — Nem morta! Ser observada 24 horas por dia e filmada fazendo cocô e vomitando... Essa gente não dá a mínima à própria intimidade?

Opinião à primeira vista surpreendente, vinda de alguém que contou ao mundo inteiro ter se prostituído quando criança para poder comprar droga e que ainda hoje não via problema algum nisso. Mas entendi o que causava tanta aversão, quando ela acrescentou:

— Provavelmente as pessoas que aceitam nunca foram perseguidas por câmeras invadindo toda a sua vida privada, não foram filmadas e fotografadas nos momentos mais terríveis e humilhantes, registradas dessa forma para a eternidade.

E Christiane Felscherinow começou a chorar.

— Até hoje não consigo entender que tenham tirado meu filho de mim — disse.

Lágrimas inundaram seus grandes olhos verdes. Breve pausa. Ela mesma passou a outra coisa:

— Quando meu filho tinha seis semanas, ele quase morreu. — E continuou falando da coqueluche do bebê.

Depois, sem explicar a relação, passou o foco para um amigo doente, evocou rapidamente o reduto da droga de Kottbusser Tor e voltou em seguida aos jornais "que dão dinheiro a *junkies* para que avisem aos jornalistas quando me virem por ali".

---

*Reality show alemão; literalmente "Sou uma estrela, me tirem daqui!". Sarah Knappik é uma top model alemã. (N.T.)

No final daquele encontro, eu não tinha resposta nenhuma às minhas perguntas — pelo contrário: dúzias a mais tinham se acrescentado. Tal situação se manteria por muitos encontros e dura até hoje.

"Teria com que encher um jornal inteiro com as histórias que ela conta", pensei em determinado momento.

Depois disso, três anos se passaram e, como o projeto exigia muita disponibilidade e flexibilidade, Michael Behrendt e eu combinamos que eu continuaria sozinha. Além disso, em dezembro de 2011, meu contrato com o *Die Welt* expirava e isso me levou a tomar a seguinte decisão: concentrar-me exclusivamente no trabalho com Christiane.

Recentemente, uma bela coincidência me tranquilizou com relação à escolha feita: uma noite, já tarde, num McDonald's, Christiane encontrou três garotas de 17 anos do Brandeburgo — eram então jovens demais para terem necessariamente ouvido falar da sua história. Ainda mais se considerarmos que o livro não havia sido publicado na Alemanha Oriental até a queda do Muro e que Christiane não ficou "famosa" naquela parte da República Federal com o mesmo entusiasmo que no restante do país. Enquanto as três moças conversavam com Christiane, tomando um sorvete, sua identidade acabou vindo à tona por algum motivo — e, nesse momento, uma delas desandou a chorar de tão emocionada.

Sonja Vukovic, julho de 2013

Este livro foi composto na tipografia Minion Pro,
em corpo 11,5/18,5, e impresso em
papel off-white no Sistema Digital Instant Duplex
da Divisão Gráfica da Distribuidora Record.